a metamorfose

A metamorfose
The metamorphosis
Copyright © 2017 by Novo Século Editora Ltda.

PRODUÇÃO EDITORIAL
SSegóvia Editorial

TRADUÇÃO
Caio Pereira

PREPARAÇÃO
João Campos

DIAGRAMAÇÃO
João Paulo Putini

REVISÃO
Tássia Carvalho
Silvia Segóvia

CAPA
Vitor Donofrio

Texto de acordo com as normas do Novo Acordo Ortográfico da Língua Portuguesa (1990), em vigor desde 1º de janeiro de 2009.

Dados Internacionais de Catalogação na Publicação (CIP)

Kafka, Franz, 1883-1924
A metamorfose
Franz Kafka ; tradução de Caio Pereira.
Barueri, SP: Novo Século Editora, 2017.

Título original: The metamorphosis

1. Literatura alemã - Ficção I. Título II. Pereira, Caio

17-0535   CDD-833.912

Índice para catálogo sistemático:
1. Literatura alemã - Ficção 833.912

<ns
uma marca do
Grupo Novo Século

Alameda Araguaia, 2190 – Bloco A – 11º andar – Conjunto 1111
CEP 06455-000 – Alphaville Industrial, Barueri – SP – Brasil
Tel.: (11) 3699-7107
www.gruponovoseculo.com.br | atendimento@gruponovoseculo.com.br

Franz Kafka
A METAMORFOSE

tradução
Caio Pereira

‹ns

SÃO PAULO, 2017

1

Certa manhã, ao acordar de sonhos agitados, ainda na cama, Gregor Samsa descobriu que tinha se transformado num inseto monstruoso. Deitado de costas, rijas feito armadura, ao erguer um pouco a cabeça, viu seu abdômen marrom arqueado dividido em rígidas faixas curvas, sobre o qual, prestes a deslizar totalmente para fora, o cobertor mal parava no lugar. As numerosas pernas, finas de dar pena em comparação com o resto da circunferência, agitavam-se tolamente diante de seus olhos.

"Que aconteceu comigo?", pensou ele. Sonho, não era. O quarto, o quarto normal de qualquer ser humano, apenas pequeno demais agora, estava ali silencioso entre as quatro paredes de sempre. Sobre a mesa, onde se espalhava uma coleção de amostras de tecido (Samsa era caixeiro-viajante), estava a foto que ele recortara de uma revista ilustrada pouco antes e arrumara numa bela moldura dourada. Era a foto de uma mulher com chapéu e boá de pele. Estava sentada em pose altiva, erguendo para as lentes um sólido punho de pele dentro do qual todo o seu antebraço desaparecera.

Gregor olhou para a janela. O tempo feio (gotas de chuva caíam ruidosamente no parapeito de metal) o fez sentir-se meio melancólico. "Que tal dormir mais um pouquinho e esquecer toda essa bobagem?", pensou. Contudo, a ideia era de todo impraticável, visto estar ele acostumado a dormir deitado sobre o lado direito, e, no estado em que se encontrava, não conseguia ajeitar-se nessa posição. Por mais forte que se jogasse para o lado direito, acabava rolando de volta. Ele devia ter tentado umas cem vezes, de olhos fechados para não ter de ver as perninhas agitadas, e desistiu somente quando começou a sentir uma dorzinha leve, que nunca sentira antes, no lado do corpo.

"Meu Deus", ele pensou, "que trabalho exaustivo fui escolher! Entra dia, sai dia na estrada. O estresse do comércio é muito maior do que o trabalho no escritório e, além disso, tenho de aguentar as dificuldades de viajar, a preocupação com as conexões de trem, a má alimentação, os relacionamentos temporários e efêmeros que nunca tocam o coração. Para o inferno com tudo isso!" Gregor sentiu uma leve coceira no topo do abdômen. Lentamente, ele se achegou mais para perto da cabeceira a fim de erguer a cabeça mais facilmente, encontrou a parte que coçava, toda coberta de pontinhos brancos (que ele não fazia ideia do que eram), e quis tatear o local com uma das pernas. Mas a retraiu imediatamente, pois o contato foi como um banho de água fria. Resolveu voltar à posição anterior. "Acordar assim tão cedo", pensou, "deixa a gente meio burro. Você tem que dormir. Outros vendedores vivem que nem mulher de harém. Por exemplo, quando eu volto à pousada no meio da manhã para anotar os pedidos de que preciso, esse pessoal está começando a tomar o café. Se eu tentasse aprontar uma dessas com meu chefe, seria demissão na hora. Se bem que vai saber se isso não seria bom para mim. Se eu não segurasse as pontas por causa dos meus pais, teria me demitido há séculos. Teria ido até o meu chefe e falado tudo o que acho, do fundo do coração. Ele ia cair da mesa! Que coisa mais estranha se sentar na mesa e falar com o empregado daquela altura. Meu chefe tem dificuldade para ouvir, então o empregado precisa ficar bem perto dele. Enfim, ainda não desisti totalmente de fazer isso. Assim que juntar o dinheiro para pagar a dívida de meus pais com ele – isso deve levar mais uns cinco ou seis anos –, vou fazer isso, certeza. Vou ter minha grande chance. Em todo caso, agora é hora de levantar. Meu trem parte às cinco".

Ele olhou para o relógio tiquetaqueando sobre a cômoda. "Meu Deus", pensou ele. Eram seis e meia e os ponteiros não paravam de girar. Já passava da meia hora, eram quase quinze para as sete. Seria problema no alarme do relógio? Dava para ver, ali da cama, que ele estava ajustado corretamente para as quatro. Certeza que tocara. Sim, mas era possível dormir mesmo com aquele barulho que fazia os móveis tremerem? Bem, de fato ele não dormira um sono tranquilo, mas sem dúvida dormira mais profundamente. Enfim, que fazer agora? O trem seguinte partiria às sete. Para pegar esse, teria de correr feito louco. A coleção de amostras ainda não estava na mala e ele não se sentia muito revigorado. E, mesmo que pegasse o trem, não haveria como evitar a chateação do chefe, pois o rapaz da firma teria esperado pelo trem das cinco e levado a notícia da ausência de Gregor muito antes. Era o capanga do chefe, sem vontade nem inteligência própria. Ora, por que não dizer que estava doente? Mas isso seria extremamente embaraçoso e suspeito, já que em seus cinco anos de empresa Gregor jamais ficara doente. O chefe certamente apareceria com o médico do plano de saúde e repreenderia os pais dele pelo filho preguiçoso, retrucando toda e qualquer objeção com os comentários do médico, para quem todo mundo estava sempre em perfeita saúde, mas com preguiça de trabalhar. Além do mais, nesse caso, o médico não estaria de todo errado. Tirando a tontura excessiva por ter dormido tanto, Gregor sentia-se, na verdade, muito bem e estava com muita fome.

Enquanto pensava nisso tudo com toda a pressa do mundo, sem ser capaz de resolver sair da cama (o relógio indicava exatamente quinze para as sete), ouviu alguém bater com cuidado na porta, ao lado da cabeceira.

– Gregor – chamou uma voz (era a mãe dele!) –, são quinze para as sete. Não está na hora de sair?

Que voz suave! Gregor ficou assustado quando ouviu sua voz respondendo. Era clara e inequivocamente a voz de antes, mas havia, misturado nela, como se vindo de baixo, um guincho irrepreensivelmente doloroso que tornava as palavras totalmente distintas no primeiro instante e as distorcia na reverberação, de modo que não dava para entender o que se ouvia. Gregor queria responder com detalhes e explicar tudo, mas nessas circunstâncias limitou-se a dizer somente:

– Sim, sim, obrigado, mãe. Já vou levantar.

Por causa da porta, a mudança na voz de Gregor não ficou tão perceptível lá fora, então a mãe acalmou-se com a explicação e foi embora. Contudo, como resultado da pequena conversação, os demais membros da família tomaram ciência do fato de que Gregor ainda estava em casa, por mais estranho que fosse, e o pai veio bater à porta, fraquinho, mas com o punho cerrado.

– Gregor, Gregor – disse –, o que está acontecendo?

Após um instante, tornou a chamar, agora num tom mais grave.

– Gregor! Gregor! Ao lado dele, à porta, contudo, a irmã bateu com mais calma.

– Gregor? Você está bem? Precisa de alguma coisa?

Gregor respondeu, dirigindo-se a ambos:

– Vou levantar agora mesmo.

Ele teve o cuidado de articular com muita cautela, inserindo longas pausas entre cada uma das palavras para remover qualquer coisa de excepcional da voz. O pai voltou para terminar o café da manhã. No entanto, a irmã sussurrou:

– Gregor, abra a porta, por favor.

Gregor não tinha intenção alguma de abrir a porta, por isso, congratulou-se pela precaução, adquirida de tanto viajar, de trancar todas as portas à noite, mesmo estando em casa.

Primeiro ele queria se levantar com calma e tranquilidade, vestir-se, tomar o café da manhã, antes de mais nada, e somente então considerar o que fazer depois, visto que (ele o notara claramente) ficar pensando nas coisas deitado não o ajudaria a chegar a uma conclusão razoável. Lembrava-se de já ter sentido, algumas vezes, uma dorzinha ou outra na cama, talvez resultado de ficar deitado numa posição incômoda, que acabou revelando-se puramente fruto da imaginação quando ele se levantou, e estava ansioso para ver as fantasias desse momento se dissiparem gradualmente. A mudança na voz não passava da chegada de uma friagem das boas, doença ocupacional dos caixeiros-viajantes, disso ele não tinha a menor dúvida.

Foi bem fácil tirar o cobertor. Precisou somente se mover um pouquinho, que ele caiu por conta própria. No entanto, dar prosseguimento foi difícil, principalmente por estar tão estranhamente largo. Era preciso ter braços e mãos para sentar-se. Ao contrário destes, porém, ele possuía somente pequenos membros que ficavam se agitando sem parar nos mais diversos movimentos, os quais, além disso, ele não conseguia controlar. Se desejava dobrar um deles, era este então o primeiro a se esticar, e se ele finalmente sucedia em fazer com esse membro o que queria, nesse meio-tempo todos os demais, como se libertos, mexiam daqui para lá em excessiva e dolorosa agitação.

– Mas não posso mais ficar aqui à toa, na cama – disse a si mesmo.

Inicialmente, quis sair da cama com a parte inferior do corpo, mas esta (que, a propósito, ainda não tinha visto e não conseguia imaginar com muita clareza) se mostrou difícil demais de mover. A tentativa desenrolou-se lentamente. Quando ele, quase em frenesi, finalmente se lançou adiante com toda a força, e sem pensar, escolheu a direção errada, bateu em um dos pés da cama com tudo. A dor violenta que sentiu revelou-lhe que a parte inferior de seu corpo era, no momento, provavelmente a mais sensível.

Então ele tentou primeiro tirar a porção superior da cama e virou a cabeça com cuidado para a beirada do leito. Isso ele fez com facilidade e, apesar da largura e do peso, sua massa corporal lentamente acompanhou o virar da cabeça. Mas quando ele por fim expôs a cabeça para fora da cama, em pleno ar, ficou receoso de seguir adiante nessa posição, pois, se acabasse caindo nesse processo, somente um milagre o impediria de machucar a cabeça. E a última coisa que podia acontecer-lhe nesse momento era perder a consciência. Gregor preferiu continuar na cama.

Contudo, após tentativa similar, deitado ali como antes, ofegante, vendo mais uma vez seus pequenos membros debatendo-se, talvez mais sofrivelmente ainda que antes, sem enxergar possibilidade de impor paz e ordem nessa movimentação arbitrária, Gregor tornou a dizer para si mesmo que não podia mais ficar ali e que talvez o mais razoável fosse fazer qualquer sacrifício se houvesse ao menos uma chance de sair da cama. Ao mesmo tempo, porém, ele não deixava de se lembrar, vez por outra, do fato de que refletir com calma (de fato, com a maior calma do mundo) talvez fosse melhor do que tomar decisões atrapalhadas. Nesses momentos, ele dirigia o olhar o mais precisamente possível para a janela, mas infelizmente havia pouca animação a retirar da visão da neblina matinal, que chegava a esconder até o outro lado daquela rua estreita.

– Já são sete horas – ele disse consigo ao ouvir o último toque do alarme –, já são sete horas e a neblina continua tão densa.

E por mais um tempinho ele ficou deitado quieto, respirando superficialmente, como se esperasse por condições normais e naturais para reemergir dessa imobilidade total.

Mas então disse a si mesmo:

– Antes de dar sete e quinze, não importa o que aconteça, tenho de estar fora desta cama. Além do mais, até lá alguém do escritório terá aparecido para saber de mim, porque o escritório vai abrir antes das sete.

E procurou gingar seu corpo todo para fora da cama num movimento uniforme. Se ele se deixasse cair, a cabeça, que ele pretendia erguer com rapidez no meio da queda, provavelmente sairia ilesa. As costas pareciam ser bem duras; nada lhes aconteceria como resultado da queda. A maior reserva era a preocupação que tinha com o barulho que a queda causaria, o qual presumivelmente suscitaria, senão medo, pelo menos inquietação atrás de todas as portas. Contudo, era preciso tentar.

Em meio ao processo de içar metade do corpo para fora da cama (o novo método constituía mais brincadeira que esforço; era preciso apenas se balançar em ritmo constante), ocorreu-lhe quão fácil isso seria se alguém pudesse vir ajudá-lo. Duas pessoas fortes (ele pensou no pai e na empregada) teriam sido suficientes. Eles somente precisariam colocar os braços debaixo das costas arqueadas dele para tirá-lo da cama, curvar-se com a carga e se valerem de mera paciência e cautela até que ele completasse o giro para o piso, onde suas diminutas pernas iriam, ele assim esperava, finalmente adquirir propósito. Ora, considerando o fato de que as portas estavam trancadas, deveria mesmo pedir ajuda? Apesar de todo o desconforto, ele não pôde conter um sorriso ao pensar na ideia.

Gregor já alcançara um ponto em que, com o balançar mais forte, mantinha o equilíbrio com dificuldade, e muito em breve teria finalmente de decidir, pois em cinco minutos seriam sete e quinze. Foi quando tocou a campainha do apartamento.

– É alguém do escritório – ele disse consigo, e quase congelou, enquanto seus pequenos membros dançavam para todo canto ainda mais rapidamente.

Por um momento, reinou a paz.

– Ninguém foi abrir – Gregor reparou, tomado por absurda esperança.

Mas claro que, como de costume, a empregada, com seu passo firme, foi até a porta e a abriu. Gregor precisou ouvir apenas a primeira palavra do visitante ao cumprimentá-la para reconhecer imediatamente quem era: o gerente. Por que tinha de ser Gregor o condenado a trabalhar em uma firma em que, ao cometer o menor lapso, a pessoa atraía de imediato a maior das suspeitas? Eram todos os empregados, sem tirar nem pôr, um bando de vagabundos? Não havia, então, entre eles ninguém verdadeiramente devotado a ponto de, se perdesse um par de horas da manhã para o trabalho, ser importunado pela culpa e não ter condições de sair da cama? Será que não bastava deixar que um aprendiz fosse investigar, se é que era necessário esse questionamento todo? Tinha de vir o gerente em pessoa e no processo demonstrar a toda uma família inocente que a investigação das circunstâncias suspeitas podia ser confiada somente a alguém inteligente como ele? E, mais como consequência do estado de excitação em que essa ideia colocou Gregor do que por resultado de uma decisão de fato, ele se balançou com toda a força para fora da cama. Caiu com um baque surdo, mas não fez tanto barulho. A queda fora, de algum modo, absorvida pelo carpete; além disso, as costas de Gregor eram mais elásticas do que ele imaginara. Por esse motivo, o barulho grave não foi tão conspícuo. Mas ele não ergueu a cabeça com cuidado suficiente e a bateu no chão. Virou-a, irritado e com dor, e roçou no carpete.

– Caiu alguma coisa ali – disse o gerente, na sala contígua à esquerda.

Gregor tentou imaginar se algo similar ao que lhe acontecia poderia ter acontecido também, em algum momento, ao gerente. Era preciso ao menos considerar a possibilidade de acontecer. Contudo, como se para responder secamente à pergunta, o gerente deu alguns passos determinados na sala ao lado, soltando um chiado com as botas polidas. Da sala contígua à direita, a irmã sussurrava para dar informações a Gregor.

– Gregor, o gerente está aqui.

– Eu sei – Gregor disse a si mesmo.

Contudo, não ousou erguer a voz o bastante para que a irmã o ouvisse.

– Gregor – disse o pai, agora, da sala à esquerda –, o Sr. Gerente veio e está querendo saber por que você não pegou o trem mais cedo. Não sabemos o que lhe dizer. E ele quer falar com você pessoalmente. Por favor, abra a porta. Com certeza, ele não vai ligar para a bagunça do seu quarto.

Em meio a tudo isso, o gerente interviu de modo amigável:

– Bom dia, Sr. Samsa.

— Ele não está bem — a mãe disse ao gerente, enquanto o pai continuou a falar junto à porta.

— Ele não está bem, pode acreditar, Sr. Gerente. Do contrário, como poderia ter perdido o trem? O rapaz não tem nada na cabeça a não ser o trabalho. Quase me irrita ele nunca sair à noite. Já faz oito dias que está na cidade, mas ficou em casa todas as noites. Ele se senta conosco à mesa e lê o jornal quietinho, ou estuda a agenda das viagens. A única distração que ocupa o tempo é a ornamentação. Olha, ele fez uma moldura em duas ou três noites. Você precisa ver como é bonita! Ele pendurou no quarto. Você verá assim que Gregor abrir a porta. Bom, fico feliz que você está aqui, Sr. Gerente. Sozinhos, não conseguiríamos fazer Gregor abrir a porta. Ele é tão teimoso e com certeza não está bem, embora o tenha negado hoje, mais cedo.

— Já estou indo — informou Gregor, lenta e deliberadamente, e sem se mexer, para não perder nenhuma palavra da frase.

— Minha senhora, não vejo como explicar de outro modo — disse o gerente —, espero que não seja nada sério. Por outro lado, devo também dizer que nós, executivos, por sorte ou por azar, seja lá o motivo, vez por outra temos de lidar com uma indisposição dessas por conta do trabalho.

– O Sr. Gerente pode entrar para vê-lo agora? – perguntou o pai, impaciente, batendo mais uma vez na porta.

– Não – respondeu Gregor.

Na sala próxima à esquerda, assentou-se uma incômoda quietude. Na sala contígua à direita, a irmã caiu em prantos.

Por que a irmã não tinha ido juntar-se aos outros? Devia ter acabado de se levantar e nem começara a se vestir ainda. Então por que o choro? Porque ele não se levantava e não deixava o gerente entrar, porque corria o risco de perder o emprego e porque então o patrão voltaria a atormentar os pais dele por conta da dívida? Eram todas preocupações desnecessárias agora. Gregor ainda estava ali e não pretendia de modo algum abandonar a família. Naquele momento, com ele deitado ali no carpete, qualquer um que soubesse de sua condição não iria querer deixar o gerente entrar. Mas Gregor não seria demitido à toa por causa dessa pequena descortesia, para a qual arranjaria uma desculpa simples e adequada mais tarde. A Gregor parecia que seria muito mais razoável que o deixassem em paz, por hora, em vez de perturbá-lo com choro e conversa. Contudo, era justamente a incerteza o que incomodava os demais e lhes justificava o comportamento.

– Sr. Samsa – o gerente agora gritava, tendo erguido a voz –, qual é o problema? Está trancado no quarto, responde só com sim ou não, causando problemas sérios e desnecessários para os seus pais e negligenciando (o que menciono apenas a propósito) suas funções comerciais de modo realmente muito incomum. Falo aqui em nome dos seus pais e seu patrão e demando com toda a seriedade uma explicação clara e imediata. Estou impressionado. Impressionado. Achava que o conhecia como uma pessoa calma e razoável e agora, pelo visto, você está querendo começar com esquisitices. O chefe me sugeriu hoje, mais cedo, uma possível explicação para sua negligência, relativa ao montante de dinheiro confiado a você pouco tempo atrás, mas na verdade eu quase lhe dei a minha palavra de honra de que essa explicação não pode estar correta. Porém, agora que vi essa sua inimaginável teimosia, estou perdendo a vontade, por menor que seja, de defendê-lo. E sua situação não é das melhores. Minha intenção original era mencionar tudo isso a você em particular, mas, visto que está me fazendo perder tempo aqui, inutilmente, não vejo por que a questão não deva ser conhecida pelos seus pais. Sua produtividade também vem sendo bastante insatisfatória ultimamente. Claro, não estamos na época do ano em que se conduzem negócios excepcionais, mas uma época do ano em que não se conduz negócio algum, não existe tal época, Sr. Samsa, e nunca deverá existir.

– Mas Sr. Gerente – disse Gregor, perdendo-se, esquecendo-se de tudo mais na agitação –, vou abrir a porta agora mesmo, neste momento. Uma indisposição leve, uma tontura rápida, me impediu de levantar. Ainda estou deitado. Mas já me recuperei. Estou me levantando. Tenha um pouquinho de paciência! As coisas não estão tão bem quanto eu achava. Mas está tudo bem. Como a gente é pego de surpresa! Ontem à noite estava tudo bem comigo. Meus pais certamente sabem disso. Na verdade, ontem à noite mesmo eu tive uma pequena premonição. Eles devem ter reparado isso em mim. Por que não avisei isso ao escritório na hora? Mas a gente sempre acha que vai se recuperar do mal-estar sem ter de ficar em casa. Sr. Gerente! Vá com calma com meus pais! Não há realmente base alguma para as críticas que está fazendo a mim e juro que ninguém falou nada disso comigo. Talvez você não tenha visto os últimos pedidos que enviei. Além disso, estou me preparando para pegar o trem das oito; essas horinhas de descanso me fortaleceram. Sr. Gerente, não se demore mais. Estarei no escritório pessoalmente daqui a pouco. Por favor, tenha a bondade de dizer isso e mandar meus respeitos ao chefe.

Enquanto soltava tudo isso rapidamente, com muito pouca ciência do que dizia, Gregor aproximara-se da cômoda sem dificuldade, provavelmente como resultado de tudo que praticara na cama, e agora tentava erguer-se para cima dela. Na verdade, queria abrir a porta; queria mesmo se deixar ser visto e falar com o gerente. Estava ávido por testemunhar o que aqueles que perguntavam dele diriam quando o vissem. Se ficassem admirados, Gregor não teria culpa de nada e poderia se acalmar. Mas, se aceitassem tudo calmamente, então não haveria motivo para altercação, e, se ele se apressasse, poderia sim chegar à estação por volta das oito da manhã.

No começo, escorregou algumas vezes da lisa cômoda. Finalmente, com uma última gingada, ficou de pé. Já não estava mais ciente das dores da porção inferior do corpo, ainda que não parassem as ferroadas. Ele se deixou pender contra as costas de uma cadeira próxima, em cujo encosto se escorou com os membros finos. Ao fazer isso, ganhou controle sobre si e ficou quieto, pois podia agora ouvir mais uma vez o gerente.

– Vocês entenderam alguma palavra? – o gerente perguntou aos pais dele. – Ele está fazendo a gente de bobo?

– Pelo amor de Deus – choramingou a mãe, já aos prantos –; vai ver ele está muito doente e estamos perturbando. Grete! Grete! – ela chamou, já gritando.

– Mamãe? – respondeu a irmã, do outro lado.

Elas se faziam entender através do quarto de Gregor.

– Preciso que vá chamar o médico agora mesmo. Gregor está doente. Vá correndo chamar o médico. Você ouviu o Gregor falar? – Parecia a voz de um animal – disse o gerente, muito mais baixo em comparação com os berros da mãe. – Anna! Anna! – gritou o pai pelo hall de entrada para a cozinha, batendo palmas. – Vá agora chamar um chaveiro! As duas jovens saíram correndo pelo hall de entrada esvoaçando saias (como a irmã se vestira tão rapidamente?) e abriram as portas do apartamento. Não deu para ouvir as portas se fechando. Deviam tê-las deixado abertas, como costuma acontecer num apartamento no qual ocorreu um evento de grande infortúnio.

Contudo, Gregor ficara muito mais calmo. É certo que as pessoas não mais entendiam suas palavras, embora elas parecessem bastante claras para ele, mais claras que anteriormente, talvez porque seus ouvidos tivessem se habituado a elas. Mas pelo menos agora as pessoas achavam que havia algo de errado com ele e estavam prontas para ajudar. A confiança e a segurança com as quais os primeiros arranjos foram conduzidos o fizeram sentir-se melhor. Gregor sentiu-se novamente incluso no círculo da humanidade e ficou esperando do médico e do chaveiro, sem diferenciar um do outro com alguma precisão de fato, esplêndidos e surpreendentes resultados. No intuito de tornar a voz o mais clara possível para a conversação crítica que estava por suceder, ele tossiu um pouco, e claro que se preocupou em fazê-lo de modo bastante discreto, visto que era possível que até mesmo esse barulho soasse como algo diferente da tosse de um humano. Já não se sentia mais capaz de opinar. Entrementes, na sala ao lado, ficara tudo muito quieto. Talvez os pais estivessem sentados à mesa com o gerente, aos sussurros; talvez estivessem todos encostados na porta, tentando escutar.

Gregor empurrou-se lentamente na direção da porta, com a ajuda da cadeira, largou dela ali, jogou-se para a porta, prendeu-se em pé junto a ela (as pontas de seus pequenos membros tinham uma substância grudenta) e descansou do esforço por um momento. Depois procurou girar a chave na fechadura com a boca. Infelizmente, pelo visto ele não tinha dentes. Como, então, ia fazer para segurar a chave? Em compensação, suas mandíbulas eram muito fortes; com a ajuda delas, conseguiu de fato mover a chave e não reparou que estava obviamente infligindo dano a si mesmo, pois um fluido marrom vazou de sua boca, fluiu por cima da chave e pingou no chão.

– Prestem atenção – disse o gerente, na sala ao lado. – Ele está virando a chave.

Para Gregor, foi um grande encorajamento. Mas deviam todos eles ter dado apoio, inclusive o pai e a mãe, "Vamos, Gregor", deviam ter gritado, "continue, continue a virar a chave". Imaginando que todos os seus esforços eram acompanhados com suspense, ele mordia freneticamente a chave com toda a força que conseguia reunir. Conforme a chave foi girando, ele foi dançando ao redor da fechadura. Agora, mantinha-se em pé somente com a boca e teve de se grudar na chave e pressioná-la para baixo com todo o peso do corpo, quando necessário. O distinto clique da fechadura ao finalmente se abrir trouxe Gregor de vez à realidade. Respirando pesadamente, ele pensou: "E não é que não precisei do chaveiro!", e apoiou a cabeça contra a maçaneta para abrir completamente a porta.

Por ter de abrir a porta desse jeito, ela ficou bastante aberta sem que ele estivesse bem visível. Primeiro ele teria de girar lentamente ao redor da beirada da porta, com muito cuidado, claro, se não quisesse cair de costas, todo sem jeito, na entrada do quarto. Ainda estava preocupado com esse movimento difícil, sem ter tempo de prestar atenção em mais nada, quando ouviu o gerente exclamar um sonoro "Oh!" (soou como o vento assoviando), e agora o via, bem em frente à porta, com as mãos sobre a boca aberta e afastando-se lentamente para trás, como se uma constante força invisível o puxasse dali. A mãe (mesmo com a presença do gerente, ela tinha os cabelos arrepiados na ponta, ainda bagunçados da noite de sono), de mãos unidas, olhava para o pai; ela deu dois passos em direção a Gregor e desabou sobre as saias, que se espalharam ao redor, com o rosto afundado no peito, totalmente escondido. O pai cerrava os punhos com uma expressão hostil, como se quisesse empurrar Gregor de volta para dentro do quarto, depois olhou ao redor da sala, confuso, cobriu os olhos com as mãos e soltou um grito que lhe fez tremer o peitoral forte.

Nesse ponto, Gregor não deu nem um passo para a sala; apenas apoiava o corpo do lado de dentro do quarto, na porta firmemente parafusada, de modo que apenas metade de seu corpo ficava visível, bem como a cabeça, pendida de lado, com a qual ele espiava os outros. Entrementes, o dia tornara-se muito mais claro. Aparecendo claramente do outro lado da rua estava uma parte da interminável construção cinza-escura situada bem em frente (era um hospital), com suas janelas regulares severas pipocando pela fachada. Continuava a chover, mas apenas em enormes gotas individuais visível e firmemente atiradas para baixo uma a uma, para o chão. A louça do café jazia empilhada ao redor da mesa, porque para o pai o café era a refeição mais importante do dia e ele a prolongava por horas, lendo diversos jornais. Na parede diretamente oposta, havia uma fotografia de Gregor do tempo em que servira o exército; era uma foto dele como tenente, em que, sorrindo tranquilamente, com a mão na espada, demandava respeito por sua pose e uniforme. A porta do hall de entrada estava entreaberta e, visto que a porta do apartamento também estava, dava para ver o corredor e o começo da escadaria.

– Bem – disse Gregor, bastante ciente de ser o único que mantivera a compostura. – Vou me vestir agora mesmo, juntar a coleção de amostras e partir. Vai deixar que eu me coloque a caminho, não vai? Veja, Sr. Gerente, não sou teimoso e adoro trabalhar. Viajar é exaustivo, mas eu não viveria sem isso. Aonde vai, Sr. Gerente? Ao escritório? Jura? Vai relatar tudo direitinho? A pessoa pode ficar incapacitada para trabalhar por um momento, mas essa é precisamente a melhor hora para relembrar as conquistas anteriores e considerar que depois, tendo tirado da frente os obstáculos, trabalhará ainda mais afiada e intensamente. Tenho mesmo uma grande dívida para com o chefe, você sabe disso perfeitamente. Por outro lado, preocupo-me com meus pais e minha irmã. Estou em uma situação ruim, mas vou superar. Não dificulte ainda mais as coisas para mim. Fale por mim no escritório! Ninguém gosta de caixeiro-viajante. Eu sei disso. As pessoas acham que eles ganham um monte de dinheiro e levam uma vida boa. Ninguém tem motivo especial para repensar esse julgamento com mais clareza. Mas você, Sr. Gerente, você tem uma perspectiva melhor das interconexões do que as outras pessoas, até mesmo, isso eu digo em total confiança, perspectiva melhor do que a do próprio chefe, que, sendo ele o empregador, pode acabar deixando a mente cometer um ou outro erro à custa de um empregado. Você sabe também que o caixeiro-viajante que fica fora do escritório quase o ano inteiro pode tão facilmente se tornar vítima de fofoca, coincidências e reclamações sem embasamento, das quais é impossível para ele se defender, uma vez que em grande parte ele sequer fica sabendo, a não ser quando está exausto, após o fim de uma viagem, e acaba sentindo no próprio corpo, em casa, as consequências desagradáveis, que não têm como ser avaliadas extensivamente desde as origens. Sr. Gerente, não se vá sem antes dizer que pelo menos levará em conta que tenho um pouco de razão!

Contudo, às primeiras palavras de Gregor, o gerente já se afastara e agora olhava para Gregor por sobre o ombro, que tremia, de lábios prensados. Durante a fala de Gregor, ele não parou nem por um instante, pois seguia na direção da porta, sem tirar os olhos de Gregor, mas bem gradualmente, como se houvesse uma proibição secreta de deixar o cômodo. Logo ele alcançou o *hall* e, dado o movimento súbito com que finalmente puxou a perna para fora da sala de estar, foi possível até suspeitar que acabara de queimar a sola do pé. No *hall*, contudo, ele esticou a mão direita para longe do corpo, na direção da escadaria, como se um verdadeiro alívio sobrenatural esperasse por ele ali.

Ocorreu a Gregor que ele não devia, sob circunstância alguma, deixar que o gerente partisse em tal estado de espírito, principalmente se não quisesse ver seu cargo na firma ser colocado em grande perigo. Seus pais não entendiam isso muito bem. Ao longo dos anos, desenvolveram a convicção de que Gregor estava garantido na firma para a vida toda e, além disso, tinham tanto a fazer nos últimos tempos, com os problemas correntes, que qualquer previsão lhes passava longe. Mas Gregor fez essa previsão. Era preciso conter o gerente, acalmá-lo, convencê-lo e, finalmente, ganhá-lo. O futuro de Gregor e de sua família dependia muito disso! Se ao menos a irmã estivesse ali! Era esperta. Já estava chorando quando Gregor ainda jazia quietinho no chão do quarto. E o gerente, amigo da mulherada, certamente se deixaria levar por ela. A irmã teria fechado a porta do apartamento e resolvido esse surto dele no hall. Mas ela nem estava ali. Gregor tinha de resolver a situação sozinho.

Sem considerar que, até o momento, ele não sabia nada de sua habilidade presente de andar, e sem pensar que sua fala fora, possivelmente (na verdade, provavelmente), mais uma vez, não compreendida, Gregor soltou-se da porta, cruzou a abertura e quis ir até o gerente, que segurava firme com as duas mãos o corrimão da escadaria em uma pose ridícula. Quando procurava algo em que se apoiar, com um pequeno grito, Gregor caiu com tudo sobre as numerosas perninhas. Mal isso tinha acontecido e ele sentiu, pela primeira vez nessa manhã, uma sensação generalizada de bem-estar físico. Os pequenos membros encontraram o piso firme abaixo; obedeciam perfeitamente – o que ele reparou com alegria – e esforçaram-se para carregá-lo na direção que ele desejava. Logo, Gregor acreditou que a melhora final de todo o seu sofrimento estava imediatamente à mão. Mas, no mesmo momento em que parou no chão, balançando de modo contido, bem perto e em frente à mãe (pelo visto, totalmente desacordada), ela de repente ficou de pé, abriu os braços, estendeu os dedos e saiu gritando "Socorro, pelo amor de Deus, socorro!". Ela manteve a cabeça abaixada, como se quisesse enxergar Gregor melhor, mas saiu correndo desvairada para trás, contradizendo o primeiro gesto e esquecendo-se de que atrás dela havia a mesa com toda a louça em cima. Quando alcançou a mesa, sentou-se pesadamente nela, como se não soubesse o que fazia, e não pareceu notar que, ao seu lado, da enorme garrafa virada vazava café num jato volumoso sobre o carpete.

– Mãe, mãe – Gregor disse baixinho, olhando para ela.

Por um instante, o gerente desapareceu completamente das lembranças dele; em contraste, ao ver o café fluindo, ele não pôde deixar de mordiscar o ar com as mandíbulas um par de vezes. Com isso, a mãe voltou a gritar, fugiu da mesa e desabou nos braços do pai, que correra para ela. Mas Gregor não tinha tempo para os pais agora: o gerente já estava na escadaria. Com o queixo na altura do corrimão, este olhou para trás pela última vez. Gregor fez um movimento inicial para alcançar o homem, se pudesse. Contudo, o gerente devia ter suspeitado de algo, porque saltou os últimos degraus e desapareceu, soltando um "Oh!". O som ecoou por toda a escadaria. Bem, infelizmente, a fuga do gerente pareceu desorientar também o pai por completo, que até então estivera relativamente calmo, pois, em vez de correr ele mesmo atrás do gerente ou pelo menos não impedir Gregor de persegui-lo, com a mão direita agarrou a bengala do gerente, que este deixara para trás junto do chapéu e do sobretudo numa cadeira. Com a mão esquerda, pegou uma folha grande de jornal da mesa e, batendo o pé forte no chão, pôs-se a incitar Gregor a voltar para o quarto, brandindo a bengala e o jornal. A Gregor, não adiantava objetar; objeção nenhuma seria entendida. Independentemente do quão disposto ele estivesse para dar meia volta de modo respeitoso, o pai pisava cada vez mais forte.

Do outro lado da sala, a mãe tinha aberto uma janela, apesar do tempo frio, e, inclinada ali com as mãos nas bochechas, levou o rosto para longe do parapeito. Entre o beco e a escadaria subiu uma brisa forte, que fez esvoaçar as cortinas da janela, açoitou os jornais na mesa e espalhou folhas individuais no piso. O pai avançava incansavelmente, aos sibilos, feito um selvagem. Gregor não tinha prática alguma em andar de ré; a coisa toda fluía muito lentamente. Se ao menos lhe tivesse sido permitido dar meia-volta, ele teria corrido para entrar no quarto, mas receou deixar o pai impaciente com o processo demorado de virar-se, e a cada momento ele visualizava a ameaça de levar um golpe mortal nas costas ou na cabeça da bengala na mão do pai. Finalmente, Gregor não teve opção, pois notou com horror que ainda não entendia como fazer para manter a linha reta andando de ré. Então começou, entre constantes olhadas ansiosas de soslaio na direção do pai, a virar-se o mais rápido possível (embora, na verdade, se virasse muito lentamente). Talvez o pai notara as boas intenções dele, visto que não perturbou o movimento de Gregor e, com a ponta da bengala, de longe, chegou a direcionar aqui e ali a rotação. Se ao menos não houvesse aquele sibilar insuportável do pai! Por causa disso, Gregor perdeu totalmente a cabeça. Tinha quase virado por completo quando, sempre com o sibilar no ouvido, cometeu um erro e voltou um pouco. Mas quando por fim obteve sucesso em apontar a cabeça na direção da abertura da porta, ficou claro que seu corpo era largo demais para atravessar. Naturalmente, no estado de espírito em que se encontrava o pai, não lhe ocorreu abrir um pouco a outra folha da porta a fim de criar uma passagem adequada para Gregor atravessar. Seu único pensamento, fixo, era que Gregor devia entrar no quarto o mais depressa possível. Jamais teria permitido as preparações elaboradas de que Gregor necessitava para orientar-se e assim, quem sabe, passar pela porta. Pelo contrário, como se não houvesse obstáculo, e com um ruído peculiar, pôs-se a urgir Gregor adiante. Atrás deste, o som nesse ponto não era mais como a voz de um único pai. O homem não estava para brincadeira, então Gregor forçou-se, a qualquer custo, a cruzar a entrada. Um dos lados de seu corpo estava erguido. Teve de deitar-se na diagonal no batente da porta. Esse mesmo lado tornou-se dolorido de tanto se esfregar. Na porta branca ficaram manchas feiosas. Logo ele ficou preso e não pôde mais se mover por conta própria. As perninhas de um dos lados pendiam no ar, agitadas; as do outro lado, esmagadas dolorosamente no piso. Então o pai deu-lhe uma bela empurrada por trás, liberando-o, e ele atravessou, sangrando gravemente, para o interior do quarto. A porta foi fechada de modo brusco com a bengala e finalmente o quarto ficou em silêncio.

2

Anoitecia quando Gregor acordou de um sono pesado que mais pareceu um desmaio. Certamente ele teria acordado pouco depois sem que fosse perturbado, pois se sentia bastante descansado e desperto, contudo lhe pareceu que fora despertado por passos apressados e um fechar cauteloso da porta. O brilho das luzes elétricas da rua espalhava-se pálido em um canto e no outro do teto e nas porções mais altas dos móveis, mas embaixo, ao redor de Gregor, estava tudo escuro. Ele se arrastou lentamente até a porta, ainda tateando sem jeito com seus apalpadores, que ele aprendera a valorizar, pela primeira vez, para checar o que acontecia lá. Sentia o lado esquerdo do corpo como uma grande cicatriz dolorida e ele mais mancava que andava sobre as duas fileiras de pernas. Ademais, uma perninha fora seriamente ferida durante o incidente da manhã (foi quase um milagre apenas uma ter se ferido) e pendia, sem vida.

À porta, ele logo notou o que realmente o atraíra até ali: era o cheiro de algo para comer. Havia uma tigela cheia de leite doce, no qual nadavam pedacinhos de pão. Ele quase riu de alegria, pois sentia agora muito mais fome que pela manhã, e imediatamente mergulhou a cabeça quase até os olhos dentro do leite. Mas logo a trouxe de volta, desapontado, não somente porque estava difícil comer por conta do delicado lado esquerdo do corpo (só conseguia comer se todo o seu corpo dolorido trabalhasse de modo coordenado), mas também porque o leite, que até então fora sua bebida favorita e que a irmã certamente pusera ali por esse motivo, não lhe apetecia nem um pouco. Gregor afastou-se da tigela quase com repulsa e arrastou-se de volta para o centro do quarto.

Na sala de estar, Gregor via pela fenda da porta, o lampião a gás aceso, mas, embora em outras ocasiões, a essa hora do dia, o pai costumasse ler o jornal da tarde em voz alta para a mãe e às vezes também a irmã, no momento, não se ouvia som algum. Ora, talvez esse ler em voz alta, sobre o qual a irmã sempre falara e escrevera para ele, tivesse recentemente deixado a rotina de sempre. Todavia, estava tudo quieto demais, apesar do fato de que o apartamento certamente não se encontrava vazio. "Que vida mais tranquila a minha família leva", Gregor pensou, e, olhando fixamente para a frente, no escuro, sentiu-se deveras orgulhoso de ter sido capaz de prover uma vida dessas num lindo apartamento para os pais e a irmã. Mas como seriam as coisas agora que toda a tranquilidade, toda a prosperidade, toda a alegria teriam final tão horrendo? No intuito de não se deixar perder em tais pensamentos, Gregor preferiu pôr-se em movimento e ficou rastejando de um lado a outro do quarto.

Certa vez, durante a longa noite, uma das portas e depois outra foram abertas em uma pequena fenda e fechadas com rapidez. Presumivelmente, alguém precisava entrar, mas achara melhor não o fazer. Gregor imediatamente se colocou perante a porta que dava para a sala de estar, determinado a fazer entrar o visitante que hesitava, de um jeito ou de outro, ou pelo menos descobrir quem era. Contudo, a porta não se encontrava mais aberta e Gregor ficou esperando em vão. Mais cedo, quando a porta estava trancada, todos queriam entrar para vê-lo; agora, tendo ele aberto uma porta e as outras ficado obviamente destrancadas durante o dia todo, ninguém mais vinha e as chaves permaneciam presas nas fechaduras pelo lado de fora.

A luz na sala de estar foi apagada bem tarde da noite e tornou-se fácil determinar que os pais e a irmã tinham ficado acordados até esse momento, pois dava para ouvir claramente os três andando nas pontas dos pés. Era certo que ninguém viria mais ver Gregor até o amanhecer. Portanto, ele tinha bastante tempo para pensar, sem perturbações, em como devia reorganizar sua vida. Porém o quarto amplo e aberto no qual ele era compelido a ficar deitado prensado no chão lhe causava ansiedade, cujo motivo ele não conseguia discernir, pois vivera nesse quarto por cinco anos. Com um movimento quase inconsciente e um pouquinho de embaraço, Gregor arrastou-se para debaixo do sofá, onde, apesar do fato de as costas ficarem um pouco pressionadas e ele não conseguir mais erguer a cabeça, sentiu-se muito confortável e triste apenas por seu corpo ser largo demais para caber inteiramente ali debaixo. Ali permaneceu a noite toda, que ele passou parcialmente com sono muito leve, do qual, a todo momento, a fome o tirava com um sobressalto, mas parcialmente preocupado, com fracas esperanças, e todas levavam à conclusão de que, por ora, ele teria de manter a calma e a paciência e ter a maior consideração pela família por tolerar os problemas que, nas condições presentes, ele seria forçado a lhe causar.

Cedinho na manhã (ainda era madrugada), Gregor teve oportunidade de testar o poder das decisões que acabara de tomar, pois a irmã, quase totalmente vestida, abrira a porta que ligava o quarto dele ao hall e olhara com avidez lá dentro. Não o encontrou imediatamente, mas, quando o notou debaixo do sofá (Deus, ele tinha de estar ali em algum canto; não poderia ter saído voando), levou tamanho susto que, sem conseguir controlar-se, fechou a porta com violência. Contudo, como se arrependida pela atitude, imediatamente abriu de novo a porta e entrou nas pontas dos pés, como se estivesse na presença de um inválido ou de um desconhecido. Gregor tirara a cabeça de debaixo do sofá e observava a irmã. Quem sabe ela notaria que ele deixara o leite ali parado, e não por falta de apetite, e lhe traria outra coisa para comer, mais adequada a ele. Se ela não fizesse isso por conta própria, seria mais provável que ele morresse de fome do que chamasse a atenção dela para o fato, embora sentisse uma vontade imensa de sair de debaixo do sofá, jogar-se aos pés da irmã e implorar por qualquer coisa boa para comer. Mas a irmã logo notou, com admiração, que a tigela continuava cheia, com um pouquinho de leite espirrado ao redor. Ela imediatamente pegou o pote (não com as mãos, mas com um paninho) e o levou do quarto. Gregor ficou extremamente curioso quanto ao que ela traria como substituto e imaginou diversas coisas. Mas ele jamais teria adivinhado o que a irmã, com toda a bondade do coração, acabou fazendo. Ela lhe trouxe, para testar seu paladar, toda uma seleção, tudo espalhado num jornal antigo. Havia legumes velhos, meio apodrecidos, ossos do jantar da noite anterior, cobertos com um molho branco já quase solidificado, algumas passas e amêndoas, queijo que Gregor declarara impossível de comer dois dias antes, uma fatia de pão seco, uma fatia de pão de sal com manteiga. Além de tudo isso, ofereceu também uma tigela (provavelmente designada de uma vez por todas para ser somente dele) na qual pusera um pouco de água. E com toda a delicadeza e consideração, por saber que Gregor não comeria na frente dela, saiu rapidamente e até virou a chave na porta, para que o irmão entendesse que podia agora se sentir tão confortável quanto quisesse. As anteninhas de Gregor zumbiam, chegada a hora de comer. Seus ferimentos deviam, pelo visto, ter se curado por completo. Não sentia nada de ruim nesse sentido. Admirado, ficou pensando em como fizera um pequeno corte no dedo mais de um mês antes com uma faca e o ferimento doera bastante até o dia anterior. "Será que vou ter menos sensibilidade?", pensou, já chupando avidamente o queijo, o que mais o atraíra logo de cara, mais do que os demais alimentos. Rapidamente e com os olhos marejados de satisfação, comeu um após outro o queijo, os legumes e o molho; comida fresca, ao contrário, não o apetecia. Mal podia suportar o cheiro, e levou as coisas que queria comer para longe das outras. No instante em que a irmã virou a chave lentamente, sinalizando para que ele se recolhesse, Gregor já tinha terminado e estava deitado preguiçoso no mesmo ponto. O barulho o assustou, mesmo tendo ele quase adormecido, e correu para debaixo do sofá. Mas foi preciso muito autocontrole para permanecer ali, mesmo pelo pouco tempo que a irmã ficou no quarto; o corpo dele fora preenchido por conta da rica refeição e naquele espaço estreito Gregor mal podia respirar. Em meio a ataques diminutos de asfixia, ele a observava com olhos protuberantes, enquanto ela, sem reparar no irmão, varria com uma vassoura não somente os restos, mas até os alimentos que Gregor nem tocara, como se estes também não servissem mais, e punha tudo rapidamente num balde, que fechou com uma tampa de madeira e levou depois para fora do quarto. Ela mal tinha lhe dado as costas quando Gregor arrastou-se de debaixo do sofá, alongou-se e deixou seu corpo se expandir.

Desse modo, Gregor recebeu sua comida todos os dias, uma vez pela manhã, quando os pais e a empregada ainda dormiam, e uma segunda vez após a refeição do meio-dia, pois os pais, como antes, dormiam de novo, um pouquinho, e a empregada era enviada pela irmã a resolver algo na rua. Claro que não iam querer que Gregor morresse de fome, mas talvez eles não teriam aguentado descobrir o que ele comia além do que ouviam falar. Talvez a irmã quisesse poupá-los de mais uma chateação, considerando que já estavam sofrendo o bastante.

Que tipo de desculpas o pessoal usara naquela primeira manhã para tirar o médico e o chaveiro da casa, Gregor não tinha como averiguar; visto que não era possível compreendê-lo, ninguém, nem mesmo a irmã, julgava que ele fosse capaz de entender os outros, e assim, quando a irmã vinha ao quarto, ele tinha de se contentar com ouvir aqui e ali os suspiros dela e as invocações aos santos. Somente depois, quando ela de algum modo se acostumara a tudo aquilo (naturalmente, não podia nem falar em de fato se acostumar com aquilo), Gregor às vezes captava um comentário de intenção amigável ou que podia ser interpretado assim. "Bom, hoje o gosto estava bom para ele", dizia ela quando Gregor limpava tudo o que lhe colocava para comer, enquanto, na situação reversa, que foi gradualmente se repetindo com cada vez mais frequência, ela dizia com tristeza: "Agora parou tudo de novo".

Mas, apesar de Gregor não conseguir informações novas diretamente, ele ouvia um bocado do que vinha do cômodo contíguo e, assim que escutava vozes, corria para a porta em questão e prensava o corpo todo contra ela. Principalmente nos primeiros dias, não houve conversa alguma que não girasse em torno dele, de um jeito ou de outro, mesmo se somente em segredo. Por dois dias, em todas as refeições, discussões acerca do tema puderam ser ouvidas, sobre como as pessoas deviam passar a agir; mas falavam também sobre o mesmo assunto nas horas entre as refeições, visto que sempre havia pelo menos dois membros da família em casa, já que ninguém queria muito ficar na casa sozinho e não podiam, sob hipótese alguma, deixar o apartamento completamente vazio. Além disso, no primeiro dia, a empregada (não estava muito claro o que e quanto ela soube do que acontecia), de joelhos, implorara à mãe dele que a demitisse imediatamente e, quando se despediu, cerca de quinze minutos depois, agradeceu-lhes a demissão com lágrimas nos olhos, como se tivesse recebido o maior favor a ela concedido pelas pessoas da residência, e, sem que ninguém lhe pedisse, fez um amedrontado juramento de que não trairia ninguém, nem mesmo uma palavrinha.

A irmã passara a juntar-se à mãe para cozinhar, embora isso não desse muito trabalho, pois todos não andavam comendo quase nada. Repetidas vezes Gregor ouviu um convidar em vão o outro para comer e não receber resposta que não fosse um "Obrigado, já comi" ou algo similar. E parecia que tinham parado de beber também. A irmã volta e meia perguntava ao pai se ele queria uma cerveja e se oferecia alegremente para ir buscar e, como o pai ficava em silêncio, ela dizia, na intenção de extinguir qualquer reserva da parte dele, que podia mandar a esposa do zelador ir buscar. Mas então o pai finalmente respondia com um sonoro "não" e nada mais era dito a respeito.

Já durante o primeiro dia o pai expusera todas as circunstâncias e perspectivas financeiras à mãe e à irmã também. Vez por outra, ele se levantava da mesa e retirava do pequeno cofre remanescente de sua empresa, que falira cinco anos antes, um ou outro documento ou caderninho. O som era bem audível quando ele abria a complicada trava e, após retirar o que procurava, tornava a trancá-la. Essas explicações do pai foram, em parte, a primeira coisa agradável que Gregor teve chance de ouvir desde que fora aprisionado. Achava que não restara nada da empresa para o pai; pelo menos este nunca lhe dissera nada que contradissesse tal visão, e Gregor, em todo caso, jamais inquirira o pai sobre isso. Na época, a única preocupação de Gregor era empregar tudo que tinha para permitir que sua família se esquecesse o mais rápido possível do infortúnio comercial que lhes colocara a todos num estado de completo desespero. Por isso, nessa fase, começou a trabalhar com intensidade especial e de assistente passou, quase de um dia para o outro, a caixeiro-viajante, cargo que naturalmente tinha possibilidades totalmente diversas de remuneração e cujos sucessos no trabalho eram de imediato convertidos em dinheiro, que podia ser espalhado na mesa, em casa, perante uma admirada e encantada família. Esses foram dias muito bonitos e que nunca mais voltaram, pelo menos não com o mesmo esplendor, apesar do fato de que Gregor andava ganhando tanto dinheiro que tinha condições de custear os gastos da família toda, gastos esses que, de fato, custavam muito. Tinham todos se acostumado com isso, tanto a família quanto o próprio Gregor. Eles aceitavam o dinheiro com gratidão e ele o entregava com alegria, mas aquele carinho especial já não estava mais presente. Somente a irmã permanecera próxima a Gregor e era um plano secreto dele a enviar (ao contrário de Gregor, ela amava música e sabia tocar violino lindamente) no ano seguinte ao conservatório, independentemente do imenso gasto que isso demandaria, o qual seria compensado de outras maneiras. Vez por outra, nas estadias curtas de Gregor na cidade, o conservatório era mencionado em conversas com a irmã, mas sempre apenas como um lindo sonho, cuja realização era inimaginável, e os pais nunca ouviam essas expectativas inocentes com prazer. Gregor, no entanto, pensava nelas com escrupulosa consideração e pretendia formalizar a questão na véspera de Natal.

Em sua presente situação, essas ideias fúteis lhe passavam pela cabeça enquanto ele se espremia contra a porta para escutar. Às vezes, por exaustão generalizada, não conseguia mais ouvir e deixava a cabeça bater sem querer na porta, mas imediatamente se recompunha, pois mesmo o menor dos barulhos que ele fazia com um gesto desses era ouvido ali perto e punha todos em silêncio.

– Lá vai ele de novo – dizia o pai um pouco depois, obviamente voltado para a porta, e apenas então a conversa interrompida era gradualmente retomada.

Gregor ouviu com bastante clareza (pois o pai tendia a repetir-se nas explicações, em parte porque não andava se preocupando com essas questões fazia um tempo, em parte porque a mãe não entendia tudo logo de cara, na primeira vez) que, apesar de todo o azar, uma fortuna, embora uma bem singela, restara dos velhos tempos, que o lucro (que permanecera intocado), no tempo que passara, permitira gradualmente crescer um bocado. Ademais, além disso, o dinheiro que Gregor trouxera para casa mês após mês (ficava com poucos florins para si mesmo) não fora completamente gasto e crescera para um pequeno montante de capital. Gregor, atrás da porta, agitava com avidez a cabeça, regozijando-se por essa previsão e essa frugalidade não antecipadas.

A METAMORFOSE

Verdade que, com esse dinheiro excedente, ele poderia ter pago mais da dívida do pai com seu patrão e o dia em que ele poderia ver-se livre daquele emprego teria ficado muito menos distante, mas agora estava tudo muito melhor, sem dúvida, do jeito com que o pai arranjara as coisas.

No momento, contudo, esse dinheiro estava longe de ser suficiente para permitir que a família vivesse do pagamento de lucros. Talvez fosse o bastante para sustentar a família por um ou no máximo dois anos, e mais nada. Acabou que era apenas um montante que ninguém deveria usar e que deveria ser guardado para emergências. O dinheiro do qual viver devia ser conquistado. Ora, o pai era um homem saudável, apesar de velho, que não trabalhara nem um pouco por cinco anos, por isso não se podia muito contar com ele. Com o passar desses cinco anos, as primeiras férias de sua vida recheada de trabalho e privada de sucessos, ganhara muitos quilos de gordura e, portanto, ficara muito pesado. E devia a mãe trabalhar agora por dinheiro, uma mulher que sofria de asma, para quem zanzar pelo apartamento tornara-se um grande esforço e que passava dia sim, dia não no sofá, perto da janela aberta, batalhando para respirar? Devia a irmã ganhar dinheiro, uma moça que não passava de uma criança de dezessete anos, cujo estilo de vida até então fora tão prazeroso que consistira de vestir-se bem, dormir até tarde, ajudar em alguma coisa na casa, participar de uma ou outra diversão e, acima de tudo, tocar violino? Quando entraram nessa conversa sobre precisar ganhar dinheiro, Gregor primeiro se afastou da porta e largou-se no frescor do sofá de couro, ao lado da porta, pois se sentia quente de vergonha e tristeza.

Costumava ficar deitado ali por noites inteiras. Não dormia nem por um minuto; só ficava riscando o couro por horas, sem parar. Empenhara-se na difícil tarefa de meter uma cadeira perto da janela. Depois subia até o parapeito e, apoiado na cadeira, inclinava-se para a janela e olhava para fora, obviamente com uma ou outra lembrança da satisfação que o gesto costumava lhe trazer anteriormente. O fato era que dia após dia ele percebia as coisas com cada vez menos clareza, até mesmo o que não estava tão distante: o hospital do outro lado da rua, a tão frequente visão que ele antes xingava, não estava mais nem um pouco visível e, se ele não estivesse precisamente ciente de morar na quieta, mas completamente urbana rua Charlotte, poderia acreditar que, de sua janela, divisava um deserto sem elementos, no qual o céu cinza e a terra cinza se misturaram e ficaram indistinguíveis. A irmã, atenciosa, devia ter observado algumas vezes a cadeira perto da janela; então, depois de limpar o quarto, toda vez ela levava a cadeira de volta ao posto sob o parapeito e passara a deixar até a armação aberta.

Se pudesse ao menos falar com a irmã e agradecer tudo que ela fazia por ele, Gregor toleraria o serviço dela mais facilmente. Mas, dada a situação, isso o fazia sofrer. Sem disfarçar, a irmã procurava encobrir a estranheza de tudo o máximo possível e, aos poucos, foi naturalmente se saindo cada vez melhor nisso. Mas com o passar do tempo Gregor foi entendendo tudo com mais precisão. Até mesmo a chegada da moça era terrível para ele. Assim que entrava, ela corria direto para a janela, sem perder tempo fechando a porta (apesar do fato de, pelo contrário, ter a consideração de poupar os demais de ver o quarto de Gregor), e abria a janela num tranco, num gesto ávido, como se quase sufocada, e ficava um pouco ali, respirando fundo, mesmo estando um frio daqueles lá fora. Com esse correr e o barulho, ela assustava Gregor duas vezes por dia. O tempo todo ele tremia debaixo do sofá e, no entanto, sabia muito bem que a irmã certamente o pouparia se ao menos fosse possível permanecer com a janela fechada dentro de um quarto habitado por ele.

Em certa ocasião (cerca de um mês se passara desde a metamorfose de Gregor e agora não havia mais motivo em especial para que a irmã se assustasse com a aparência dele), ela veio um pouco mais cedo que de costume e deparou com Gregor, que ainda olhava pela janela, imóvel e na posição certa para assustar alguém. Não teria sido surpresa para Gregor se ela não entrasse, visto que nessa posição ele a impedia de abrir a janela imediatamente. Mas não somente ela não entrou; ela recuou e bateu a porta. Um estranho poderia ter concluído que Gregor estivera à espreita, querendo mordê-la. Claro que ele imediatamente se escondeu debaixo do sofá, mas teve de esperar até a refeição do meio-dia para que a irmã retornasse e ela parecia muito menos calma que de costume. Com isso, ele percebeu que sua aparência continuava intolerável para ela e deveria continuar intolerável dali em diante, e que a irmã tinha realmente de exercer muito autocontrole para não fugir de um mero relance da menor parte que fosse do corpo dele que brotasse de debaixo do sofá. No intuito de poupá-la dessa visão, certo dia ele arrastou o lençol nas costas até o sofá (essa tarefa tomou-lhe quatro horas) e o arranjou de um jeito que o deixava completamente escondido e que a irmã, ainda que agachasse, não poderia vê-lo. Se o lençol não fosse necessário para a irmã, ela poderia removê-lo, pois obviamente Gregor não sentia prazer algum de isolar-se assim de todo. Contudo, ela deixou o lençol do jeito que o viu e Gregor pensou ter até visto nela uma expressão de gratidão quando, numa ocasião, ergueu cautelosamente o lençol um pouquinho com a cabeça para checar, enquanto ela avaliava o novo arranjo.

Nas primeiras duas semanas, os pais não conseguiram ir visitá-lo e ele ouvia sempre quando eles reconheciam o trabalho realizado pela irmã; do contrário, anteriormente, costumavam ficar incomodados com ela por lhes parecer uma mocinha inútil. Contudo, agora o pai e a mãe em geral aguardavam em frente à porta de Gregor, enquanto a irmã limpava lá dentro; assim que saía, ela explicava com detalhes como estavam as coisas no quarto, o que Gregor comera, como se comportara dessa vez e se quem sabe alguma melhora podia ser notada. Em todo caso, a mãe relativamente cedo quis visitar Gregor, mas o pai e a irmã a contiveram, primeiro com razões que Gregor escutou com muita atenção e que endossou por completo. Mais tarde, contudo, tiveram de contê-la à força e, quando ela gritou "Deixem-me ver o Gregor. Tadinho do meu filho! Vocês não entendem que eu preciso vê-lo?", Gregor achou que talvez fosse uma coisa boa a mãe entrar, não todo dia, claro, mas quem sabe uma vez por semana. Ela entendia tudo muito melhor que a irmã dele, que, apesar de toda a coragem, era ainda uma menina e, em última análise, talvez tivesse assumido tarefa tão complicada por pura imprudência infantil.

O desejo de Gregor de ver a mãe logo foi realizado. Durante o dia, por consideração pelos pais, Gregor preferia não se mostrar à janela e não tinha como rastejar muito pelos poucos metros quadrados do piso. Achava difícil ficar deitado quieto durante a noite e logo comer não mais lhe dava o menor prazer. Então, para se divertir, ele adquiriu o hábito de zanzar de um lado a outro pelas paredes e pelo teto. Gostava especialmente de ficar pendurado lá. Era uma experiência bem diferente de ficar deitado no chão. Respirar tornava-se mais fácil, uma vibração delicada percorria seu corpo e, em meio ao quase feliz passatempo que Gregor encontrara lá em cima, podia acontecer de, para sua surpresa, ele se soltar e cair no chão. Contudo, agora ele controlava naturalmente seu corpo de modo bem diferente e não se machucava mesmo caindo de tão alto. A irmã notara imediatamente a nova brincadeira que Gregor encontrara para si (pois, ao rastejar por todo canto, ele deixava para trás, aqui e ali, rastros de um troço grudento) e então teve a ideia de tornar o zanzar de Gregor o mais fácil possível e, para tanto, remover a mobília que ficava no caminho, principalmente a cômoda e a escrivaninha.

Mas ela não tinha condição alguma de fazer isso sozinha. Não ousaria pedir ajuda ao pai, e a empregada certamente não a teria assistido, pois, embora essa menina, de uns dezesseis anos de idade, tivesse permanecido corajosamente desde a demissão da cozinheira anterior, ela implorara pelo privilégio de que lhe permitissem ficar permanentemente confinada na cozinha e de ter de abrir a porta apenas para responder a ordens especiais. Portanto, a irmã não teve opção senão envolver a mãe, quando o pai estava ausente. A mãe aproximou-se do quarto de Gregor com exclamações de alegre empolgação, mas ficou em silêncio em frente à porta. Claro que a irmã primeiro checou se tudo no quarto estava em ordem. Somente então deixou a mãe entrar. Com muita pressa, Gregor puxara o lençol mais para baixo e o enrugara ainda mais. A coisa toda parecia apenas um cobertor jogado de qualquer maneira por cima do sofá. Nessa ocasião, Gregor preferiu evitar espiar de debaixo do lençol. Assim, evitou ver a mãe dessa vez; já estava contente por ela ter vindo.

– Vem; não dá para vê-lo – disse a irmã, e evidentemente trouxe a mãe pela mão.

Gregor ficou ouvindo aquelas duas mulheres fracas empurrando a pesada cômoda de seu posto e a irmã constantemente tomando para si a maior parte do esforço, sem escutar os protestos da mãe, que receava que a menina se sobrecarregasse. A tarefa tomou-lhes um bom tempo. Quando cerca de quinze minutos se passaram, a mãe disse que seria melhor se deixassem a cômoda onde estava, porque, para começar, era pesada demais, não teriam terminado o serviço antes da chegada do pai, e colocar a cômoda no meio do quarto bloquearia todos os caminhos de Gregor, mas, em segundo lugar, ninguém tinha certeza de que Gregor ficaria satisfeito com a remoção da mobília. Para ela, o oposto parecia ser a verdade; a visão das paredes vazias era como uma fincada no coração e, como Gregor não sentiria o mesmo, visto que estivera acostumado ao posicionamento da mobília por muito tempo, num quarto vazio se sentiria, portanto, abandonado.

– E não é para ser assim – a mãe concluiu muito baixinho, quase sussurrando, como se quisesse impedir que Gregor, de cuja exata localização ela não fazia ideia, ouvisse até o som da sua voz (pois estava convencida de que ele não entendia as palavras dela). – E não é verdade que se removermos a mobília vamos demonstrar que desistimos de qualquer esperança de que ocorra uma melhora e vamos deixá-lo com seus próprios recursos, sem consideração nenhuma? Acho que seria melhor se tentássemos manter o quarto exatamente na condição em que estava antes, para que, quando Gregor retornar para nós, ele encontre tudo intocado e possa se esquecer desse ínterim mais facilmente.

A METAMORFOSE

Ao ouvir as palavras da mãe, Gregor percebeu que a falta de qualquer contato humano imediato, junto com a vida monótona cercada pela família ao longo daqueles dois meses, devia ter confundido seu entendimento, porque de outro modo ele não poderia explicar a si mesmo como, com toda a seriedade, ele pudera ficar tão entusiasmado com a ideia de ter seu quarto esvaziado. Estava mesmo ávido por deixar aquele quarto quentinho, confortavelmente mobiliado com peças que ele herdara, ser transformado numa caverna na qual ele poderia então, claro, ser capaz de rastejar para qualquer direção sem obstáculos, mas ao mesmo tempo com um rápido e completo esquecimento de seu passado humano? Estava ele, nesse ponto, já tão prestes a esquecer, e somente a voz da mãe, que ele não ouvia fazia um bom tempo, fora capaz de mobilizá-lo? Nada devia ser removido; devia ficar tudo no lugar. Na condição em que se encontrava, ele não podia funcionar sem as influências benéficas de sua mobília. E, se a mobília o impedia de prosseguir com seu rastejar sem sentido ao redor do quarto, então não havia mal algum nisso, mas sim grande benefício.

Mas a irmã, infelizmente, pensava o contrário. Ficara acostumada, certamente não sem justificativa, no que tangia à discussão de questões relacionadas a Gregor, a agir como *expert* em relação aos pais e por isso agora o conselho da mãe era para a irmã motivo suficiente para insistir na remoção, não somente da cômoda e da escrivaninha, que eram os únicos itens nos quais ela pensara inicialmente, mas também de toda a mobília, com exceção do indispensável sofá. Claro, não foram apenas a ousadia infantil e a recente, muito inesperada e suada autoconfiança que a levaram a tal demanda. Ela de fato observara que Gregor precisava de bastante espaço para rastejar por ali; a mobília, por outro lado, pelo que se via, não tinha mais utilidade alguma.

Mas quem sabe a sensibilidade entusiasmada das moças da idade dela também exercesse o seu papel. Esse sentimento procurava libertação a toda oportunidade e com ele Grete agora se sentia tentada a querer tornar a situação de Gregor ainda mais aterrorizante, de modo que assim ela poderia fazer ainda mais por ele do que agora. Pois claro que ninguém, exceto Grete, teria coragem de entrar num quarto no qual Gregor reinava nas paredes vazias, todas para ele. Então ela não se deixou ser dissuadida da decisão pela mãe, que dentro do quarto parecia insegura, em pura agitação, e logo ficou calada e ajudou a moça com toda a energia que tinha a remover a cômoda do quarto. Ora, Gregor podia ficar sem a cômoda, se preciso fosse, mas a escrivaninha teria de ficar. E mal as mulheres deixaram o quarto com a cômoda, gemendo ao empurrá-la, Gregor meteu fora a cabeça de debaixo do sofá para ver como poderia intervir, com cuidado e com a maior consideração possível. Mas infelizmente foi a mãe quem voltou ao quarto primeiro, enquanto Grete estava com os braços ao redor da cômoda, no cômodo ao lado, sacudindo-a sozinha, sem tirá-la da posição. A mãe não estava habituada à visão do que era Gregor; ele podia deixá-la enojada, e então, assustado, ele debandou para a outra ponta do sofá, mas não pôde mais impedir que o lençol saísse um pouco do lugar. Isso bastou para chamar a atenção da mãe. Ela parou, ficou imóvel por um momento, e então voltou para Grete.

Embora Gregor ficasse repetindo para si mesmo sem parar que na verdade nada de incomum estava acontecendo, que eram apenas uns móveis sendo rearranjados, logo ele teve de admitir para si que os movimentos das mulheres daqui para lá, o que conversavam baixinho, o raspar do móvel no piso o afetavam como uma imensa e exagerada comoção que vinha de todo lado e com a firmeza com que retraía a cabeça e as pernas e pressionava o corpo no piso ele precisou admitir que, sem equívoco, não seria capaz de suportar aquilo tudo por muito mais tempo. Estavam limpando o quarto dele, tirando-lhe tudo que ele adorava; já tinham arrastado para fora a cômoda na qual a serra de rodear e outras ferramentas ficavam guardadas e agora soltavam a escrivaninha, fixada com firmeza no piso, a mesa em que ele, como aluno de administração, como aluno do colegial, até mesmo como aluno do primário, escrevera seus trabalhos. A essa altura, ele não tinha mais tempo de checar as boas intenções das duas mulheres, cuja existência ele, de fato, quase esquecera, pois em exaustão elas trabalhavam muito silenciosamente e o tropeçar pesado de seus pés era o único som a ser ouvido.

 E então ele saiu em disparada (as mulheres acabavam de se empoleirar na escrivaninha, na sala ao lado, no intuito de recuperar o fôlego) e mudou de direção quatro vezes. Não fazia ideia do que resgatar primeiro. Foi quando viu, pendurada conspicuamente na parede, que já estava vazia, a foto da mulher que vestia nada além do casaco de pele. Ele correu para cima do quadro e pressionou-se contra o vidro que o mantinha no lugar e que lhe causou uma sensação gostosa no abdômen quente. Pelo menos essa foto, que Gregor, no momento, escondia completamente, com certeza ninguém tiraria dali. Ele girou a cabeça na direção da porta da sala de estar para observar as mulheres, que retornavam.

 Elas não se tinham permitido muito descanso e já vinham voltando. Grete pusera o braço em volta da mãe e a abraçava bem juntinho.

 – Então, que vamos tirar agora? – perguntou ela, e olhou ao redor.

Então seu olhar cruzou com o de Gregor, na parede. Ela manteve a compostura apenas porque a mãe estava ali. Grete inclinou o rosto para o da mãe, a fim de impedir que ela olhasse ao redor, e disse, apesar da voz tremida, e com muita pressa:

– Vem, não seria melhor a gente voltar à sala de estar só por um instante?

O propósito de Grete ficou claro para Gregor: ela queria levar a mãe para um local seguro e, então, espantá-lo da parede. Ora, ela que tentasse! Ele prensou a fotografia e não ia desistir dela. Seria mais provável que pulasse no rosto da irmã.

Mas as palavras de Grete imediatamente deixaram a mãe muito apreensiva. Ela virou de lado, captou a enorme mancha marrom prensada no papel de parede florido e, antes que pudesse ter total ciência de que aquilo que via era Gregor, gritou "Meu Deus, meu Deus!" numa voz rouca e aguda e caiu de braços estendidos, como se entregasse tudo que tinha, no sofá, onde ficou imóvel.

– Gregor, você... – a irmã exclamou, erguendo o punho, fitando-o exasperada.

Desde a metamorfose, essas foram as primeiras palavras que ela dirigira a ele. Grete correu para a sala ao lado para buscar uma bebida ou outra coisa com que pudesse acordar a mãe do torpor do desmaio. Gregor quis ajudar também (havia tempo suficiente para salvar a foto), mas estava grudado no vidro e teve de se arrancar deste à força. E também debandou para a sala ao lado, como se pudesse dar à irmã algum conselho, como antigamente, mas teve de ficar ali à toa atrás dela, enquanto ela remexia diversas garrafinhas. No entanto, Grete tomou um susto quando se virou. Uma garrafa caiu no chão e se espatifou. Um caco de vidro feriu Gregor no rosto; um remédio corrosivo ou algo assim espirrou ali. Sem mais delongas, Grete pegou o maior número de garrafinhas que podia segurar e correu com elas para junto da mãe. Com o pé, ela bateu a porta. Gregor ficou, então, separado da mãe, que podia estar à beira da morte, e graças a ele. Não havia como abrir a porta e ele não queria afugentar a irmã, que tinha de ficar perto da mãe. Nesse ponto, não havia nada a fazer a não ser esperar e, dominado por autocensura e preocupação, ele começou a rastejar e se arrastar por cima de tudo: paredes, móveis e teto. Finalmente, em desespero, quando toda a sala começou a girar a seu redor, ele caiu bem no meio da grande mesa.

Passou um tempo. Gregor ficara ali deitado, largado. Ao redor, só calmaria. Talvez fosse um bom sinal. Foi quando tocou a campainha. A empregada, naturalmente, estava trancafiada na cozinha, então cabia a Grete ir abrir a porta. O pai chegava.

— Que aconteceu? — foram as primeiras palavras dele.

A aparência de Grete contou-lhe tudo. A moça respondeu com voz embaciada; evidentemente, pressionava o rosto contra o peito do pai:

— Mamãe desmaiou, mas está melhorando. Gregor está solto.

— Ah, imaginei que fosse acontecer — disse o pai. — Eu sempre avisei, mas vocês mulheres não querem escutar.

Ficou claro para Gregor que o pai entendera mal a mensagem curta de Grete e supunha que Gregor cometera um crime violento. Portanto, tinha de encontrar o pai e acalmá-lo, pois não havia tempo nem oportunidade para esclarecer as coisas para ele. Então correu para a porta do quarto e prensou-se nela, de modo que o pai pudesse ver assim que entrasse, do *hall*, que Gregor tinha toda intenção de retornar de imediato ao quarto, que não seria necessário instigá-lo a isso, mas que bastava que alguém abrisse a porta para que ele desaparecesse imediatamente.

Mas o pai não se encontrava disposto a observar tais sutilezas.

— Ah! — gritou ele assim que entrou, com entonação de quem está ao mesmo tempo irritado e satisfeito.

Gregor tirou o rosto da porta e o ergueu na direção do pai. Não tinha imaginado o pai como o viu ali. Claro, com essa sua nova tendência de ficar rastejando por aí, no passado recente ele não se lembrara de prestar atenção ao que acontecia no restante do apartamento, como fazia antes, e devia ter suspeitado do fato de que encontraria condições diferentes. Contudo, aquele era mesmo o pai dele? Era o mesmo homem que ficava deitado, exausto e enterrado na cama, antigamente, quando Gregor se preparava para viajar a negócios, que o recebia quando ele voltava à noite em trajes de dormir, sentado na cadeira, totalmente incapaz de se levantar, que apenas erguia o braço em sinal de alegria e que, nos raros passeios que faziam juntos uns poucos domingos por ano e nos feriados importantes, caminhava lentamente entre Gregor e a mãe (que também caminhavam lentamente), sempre um pouco mais lento que eles, embrulhado num casaco antigo, o tempo todo apoiando a bengala com cuidado, e que, quando queria dizer alguma coisa, quase sempre ficava imóvel e reunia sua comitiva a seu redor?

Agora ele estava em pé, bastante ereto, usando um bem estruturado uniforme azul com botões dourados, do tipo que usam os funcionários de um banco. Acima do colarinho gomado do paletó, seu queixo duplo firme brotava proeminente; debaixo das densas sobrancelhas, o olhar de olhos pretos estava renovado, penetrante e alerta; o cabelo até então desalinhado fora arrumado com cuidado num exato e brilhante penteado. Ele lançou o quepe, no qual um monograma dourado (aparentemente, o símbolo do banco) estava afixado, num arco por todo o cômodo até o sofá, e veio, jogando para trás a beirada do comprido casaco do uniforme, pondo as mãos nos bolsos das calças com um sorriso esquisito, na direção de Gregor.

Este não sabia muito bem o que o pai tinha em mente, mas viu que ele erguia de modo descomunal o pé e ficou estupefato com o tamanho gigantesco da sola daquela bota. Contudo, Gregor não ousou desafiá-lo, pois sabia, desde o primeiro dia de sua nova vida, que, no que se referia a ele, o pai considerava a força bruta a única resposta apropriada. E por isso ele debandou para longe do pai, parou quando este ficou parado e tornou a correr para a frente quando o pai fez o menor dos movimentos. Desse jeito, rodearam a sala repetidas vezes, sem que nada decisivo acontecesse; de fato, dado o ritmo lento, aquilo nem parecia perseguição. Gregor permanecera no chão o tempo todo, principalmente por recear que o pai tomasse um salto para a parede ou o teto como um ato de verdadeira malvadeza. Em todo caso, Gregor teve de se lembrar de que não poderia continuar com esse corre daqui, corre dali por muito tempo, porque, toda vez que o pai dava um único passo, Gregor tinha de executar um número imenso de movimentos. Já estava começando a sofrer com falta de ar; assim como na juventude, seus pulmões não andavam nada dignos de confiança. Enquanto cambaleava pela sala no intuito de juntar todas as suas energias para correr, mal mantendo os olhos abertos, em sua desatenção, não lhe ocorria ideia alguma de como fugir a não ser ficar correndo e ele quase se esquecera de que as paredes estavam disponíveis, embora obstruídas por móveis adornados com esmero, cheios de pontas afiadas e picos – nesse momento, alguma coisa lançada casualmente voou perto dele e caiu rolando à sua frente. Era uma maçã; imediatamente, uma segunda veio voando. Gregor ficou parado, com medo. Não adiantaria mais fugir, pois o pai resolvera bombardeá-lo.

Da fruteira sobre o aparador, o pai enchera os bolsos e agora, sem por ora mirar com precisão, jogava maçã atrás de maçã. Essas maçãs vermelhinhas rolavam, como se eletrificadas, pelo chão e colidiam umas com as outras. Uma maçã jogada sem força roçou as costas de Gregor, mas deslizou dali, inofensiva. No entanto, outra, jogada imediatamente após aquela, acertou as costas dele com muita força. Gregor quis arrastar-se dali, como se aquela dor incrível e inesperada fosse passar se ele mudasse de posição. Mas sentia como se o tivessem fincado onde estava e permaneceu deitado, totalmente confuso das ideias. Somente com uma última olhada notou que a porta de seu quarto estava aberta e que, bem em frente à Grete (que berrava), a mãe passou correndo em roupas de baixo, pois a irmã a despira no intuito de dar-lhe um pouco de liberdade para respirar em meio ao desmaio, e depois correu para o pai (no caminho, as saias bem presas uma após a outra escorregaram para o chão) e, tropeçando nas saias, lançou-se em seus braços, em completa união com ele – mas nesse momento foi-se a capacidade de Gregor de enxergar –, quando suas mãos alcançaram-lhe a nuca, e ela lhe implorou que poupasse a vida do filho.

O sério ferimento de Gregor, com o qual ele sofria fazia mais de um mês (visto que ninguém se aventurara a remover a maçã, que permaneceu no corpo dele – um visível lembrete), parecia ter, por conta própria, lembrado o pai de que, apesar da infeliz e odiosa aparência de Gregor, ele ainda era um membro da família, alguém que não devia ser tratado como inimigo, e que era, pelo contrário, uma exigência dos deveres familiares suprimir a aversão e tolerar – nada mais, apenas tolerar. E como por causa do ferimento Gregor aparentemente perdera de vez a habilidade de se mover e por ora precisava de muitos e muitos minutos para rastejar ao redor do quarto, como um velho inválido (quanto a rastejar para o alto, isso era inimaginável), não obstante a piora de sua condição, em sua opinião, ele recebera recompensa de todo satisfatória, pois todo dia, ao anoitecer, a porta da sala de estar, em que ele tinha o hábito de pôr-se de olho com uma ou duas horas de antecedência, era aberta, de modo que ele, deitado na escuridão do quarto, invisível aos que estavam na sala, podia ver a família toda sentada à mesa iluminada e ouvir a conversa, até certo ponto com a permissão de todos, situação bastante diferente do que acontecia antes.

Claro, não era mais a interação social animada de outros tempos, sobre a qual Gregor, em quartinhos de hotel, sempre pensara com um pouco de saudade, quando, cansado, tinha de jogar-se naquela roupa de cama úmida. Em geral, o que acontecia agora era algo bem mais monótono. Após a refeição da noite, o pai adormecia rapidamente na cadeira; a mãe e a irmã conversavam secretamente na quietude. Muito curvada, a mãe cozia finas roupas íntimas para uma loja. A irmã, que tinha arranjado emprego como vendedora, à noite estudava estenografia e francês, para quem sabe no futuro obter melhor cargo. Às vezes o pai acordava e, como se ignorasse que estivera dormindo, dizia à mãe: "Você não parou de costurar hoje!", e voltava a dormir, e a mãe e a irmã sorriam, cansadas, uma para a outra.

Com certa teimosia, o pai se recusava a tirar o uniforme até mesmo em casa e, enquanto o pijama ficava pendurado, sem uso, no gancho, ele cochilava completamente vestido na cadeira, como se sempre estivesse preparado para suas responsabilidades e até mesmo ali esperasse ouvir a voz de seu superior. Como resultado, apesar de todo o cuidado da mãe e da irmã, o uniforme, que já de início não era novo, foi tornando-se sujo e Gregor ficava a observar, em geral pela noite toda, aquelas roupas, com manchas por todo canto e com os botões dourados sempre polidos, nas quais o idoso, embora com muito desconforto, não obstante, dormia em paz.

Assim que o relógio apontava as dez, a mãe tentava encorajar o pai gentilmente a acordar e depois persuadi-lo a ir para a cama, argumentando que não havia como dormir bem ali e que ele, por ter de apresentar-se ao trabalho às seis da manhã, precisava muito dormir bem. Mas em sua teimosia, que o dominara desde que se tornara um serviçal, o pai insistia sempre em ficar ainda mais à mesa, embora regularmente pegasse no sono, e somente então podia ser convencido com a maior das dificuldades a trocar a cadeira pela cama. Não importava quanto a mãe e a irmã tentassem nesse ponto lidar com ele com pequenas admoestações; por quinze minutos ele ficava balançando a cabeça lentamente, de olhos fechados, sem levantar-se. A mãe o puxava pela manga do paletó e falava palavras lisonjeiras ao pé do ouvido dele; a irmã largava o trabalho para ajudar a mãe, mas nada disso surtia o efeito desejado. Ele se ajustava ainda mais pesadamente na cadeira. Somente quando as duas mulheres o agarravam por debaixo das axilas ele escancarava os olhos, olhava da mãe para a irmã e quase sempre dizia:

– A vida é assim. Essa é a tranquilidade da velhice.

Então, amparado pelas duas mulheres, o homem içava-se dificultosamente, como se fosse um trabalho dos mais árduos, permitia-se ser levado à porta por elas, dispensava-as e prosseguia por conta própria dali, enquanto a mãe imediatamente largava a costura, e a irmã a caneta, no intuito de correr atrás do pai para ajudá-lo um pouco mais.

Nessa família sobrecarregada e exausta, quem tinha tempo para preocupar-se mais com Gregor do que o absolutamente necessário? A residência ia ficando cada vez menor. A empregada fora demitida. Uma grande e ossuda faxineira de cabelos grisalhos que farfalhavam por toda a cabeça vinha pela manhã e à noite fazer o trabalho mais pesado. A mãe cuidava de tudo mais, além do considerável trabalho de costura. Ocorreu até que várias joias da família, que anteriormente a mãe e a irmã usaram radiantes em ocasiões sociais e festivas, foram vendidas, o que Gregor descobriu certa noite, pela discussão genérica acerca dos preços conseguidos. Mas a maior reclamação era sempre que não podiam deixar o apartamento, grande demais para os recursos do momento, visto que era impossível imaginar como Gregor poderia ser movido. Mas Gregor entendia que não era apenas a consideração por ele que impedia a mudança (pois ele poderia ser transportado facilmente numa caixa grande com buracos para respirar); o fator principal a impedir que a família mudasse de casa era muito mais sua total desesperança e a ideia de que foram atingidos por um infortúnio como ninguém mais em todo o círculo de parentes e conhecidos.

O que o mundo requer de gente pobre, eles agora aturavam em grau extremo. O pai comprava café da manhã para agentes inferiores do banco, a mãe se sacrificava pela roupa íntima de estranhos, a irmã atrás do balcão vivia à mercê dos acenos e chamados dos clientes, mas não dispunham de energia para algo mais. O ferimento nas costas de Gregor começou a doer de novo. Mãe e irmã, após terem acompanhado o pai à cama, voltaram, puseram de lado seu trabalho, achegaram-se uma na outra e se sentaram de rosto colado, e a mãe disse, apontando para o quarto dele:

– Feche a porta, Grete.

Gregor ficou de novo no escuro, enquanto ali perto as mulheres misturavam suas lágrimas, ou, de olhos bem secos, fitavam a mesa.

Ele passava noites e dias quase sem dormir. Às vezes achava que na vez seguinte em que a porta se abrisse ele dominaria os arranjos da família assim como fazia anteriormente. Em sua imaginação, tornavam a aparecer, após muito tempo, seu patrão e supervisor e os aprendizes, o guarda excessivamente abobalhado, dois ou três amigos de outras empresas, uma camareira de um hotel das províncias, adorável lembrança fugaz, uma atendente de loja de chapéu, a quem ele seriamente, embora muito lento, cortejara – todos esses apareciam misturados com estranhos ou pessoas que ele já tinha esquecido, mas, em vez de ajudar a ele e sua família, eram todos inacessíveis, e ele ficava feliz de vê-los desaparecer.

Mas o fato é que não se sentia disposto a preocupar-se com a família. Estava cheio de raiva pura para com os cuidados miseráveis que estava recebendo, ainda que não pudesse imaginar nada de que viesse a ter vontade. No entanto, fazia planos de como poderia pegar da despensa tudo que de fato merecia, mesmo que não tivesse fome. Sem pensar mais em como se poderia oferecer a Gregor um prazer especial, a irmã agora chutava qualquer comida apressadamente no quarto dele pela manhã e ao meio-dia, antes de correr para a loja, e à noite, bem indiferente quanto a se a comida tinha sido talvez apenas provada ou, o que acontecia com mais frequência, permanecera completamente intocada, ela espanava tudo com uma varrida da vassoura. A tarefa de limpar o quarto, que ela agora realizava sempre ao anoitecer, não podia ser feita mais rapidamente. Riscos de sujeira percorriam as paredes; aqui e ali jaziam emaranhados de poeira e lixo. Inicialmente, quando a irmã chegava, Gregor posicionava-se num canto particularmente sujo no desejo de, com essa pose, fazer uma espécie de protesto. Mas ele podia ficar ali por semanas sem que a irmã mudasse de conduta. O fato era que ela reparava na sujeira tanto quanto ele, mas decidira deixá-la como estava.

Quanto a isso, com uma irritabilidade que era bastante nova para ela e que costumava dominar a família toda, Grete se certificava de que a limpeza do quarto de Gregor permanecesse a ela reservada. Certa vez, a mãe empreendera uma limpeza das grandes no local, que apenas completou com sucesso após usar uns baldes de água. Mas a intensa umidade deixou Gregor doente, e ele ficou largado, chateado e desanimado no sofá. Contudo, a punição da mãe não foi postergada por muito tempo. Pois à noite, a irmã mal observou a mudança no quarto de Gregor e logo correu para a sala de estar profundamente ofendida e, apesar de a mãe erguer alto a mão em súplica, desatou num acesso de choro. Os pais (o pai, é claro, acordou assustado na cadeira) primeiro olharam para ela aturdidos e impotentes; logo estavam agoniados. Virando-se à direita, o pai empilhou censuras sobre a mãe, que ela não devia tirar a limpeza do quarto de Gregor da irmã dele, e, virando-se à esquerda, gritou à irmã que não lhe seria mais permitido limpar o quarto de Gregor nunca mais, enquanto a mãe tentava puxar o pai, fora de si com tamanha agitação, para o quarto; a irmã, tremendo por causa do acesso de choro, socou a mesa com os punhos, e Gregor enraivecia-se com a cena, bravo porque ninguém pensara em fechar a porta para poupá-lo de assistir à comoção.

    No entanto, mesmo quando a irmã, exausta de trabalhar o dia todo, ficara cansada de cuidar de Gregor como fazia antes, mesmo assim a mãe não teve de ir ajudar. E Gregor não foi negligenciado. Pois agora havia a faxineira. Essa velha viúva, que em sua longa vida devia ter conseguido sobreviver ao pior usando de sua estrutura ossuda, não sentia medo dele. Sem a menor curiosidade, certa vez, ao acaso, abrira a porta do quarto. Ao ver Gregor, que, totalmente surpreso, começou a galopar daqui para lá, embora ninguém o perseguisse, ficou parada, de braços cruzados, olhando para ele. Desde então ela não deixava de abrir a porta furtivamente um pouquinho toda manhã e toda noite para dar uma olhada nele. No começo, também o chamava com palavras que presumivelmente considerava amigáveis, como "Vem aqui um pouco, bichinho!", ou "Ei, olha só esse bichinho!". Chamado de tal maneira, Gregor nada respondia, apenas ficava imóvel no lugar, como se a porta nem tivesse sido aberta. Se ao menos, em vez de permitirem que a faxineira o perturbasse à toa sempre que tinha vontade, eles tivessem dado ordens para que limpasse o quarto dele todo dia! Um dia, de manhã cedo (uma chuva forte, talvez já sinalizando a chegada da primavera, batia na vidraça da janela), quando a faxineira começou de novo com aquela conversinha de sempre, Gregor estava tão chateado que se virou para ela, como se fosse atacar, embora lenta e fracamente. Mas, em vez de ficar com medo dele, a faxineira apenas ergueu uma cadeira que estava ao lado da porta e, estando ali com a boca escancarada, sua intenção ficou clara: ela só fecharia a boca quando a cadeira que tinha nas mãos fosse arremessada nas costas de Gregor.

– Vamos parar com isso, sim? – disse ela. Gregor virou-se de novo, e ela pousou a cadeira calmamente de volta no canto.

Gregor quase não comia mais nada. Somente quando por acaso passava pela comida que fora preparada, por brincadeira, colocava um pouco na boca, mantinha ali por horas, e em geral cuspia tudo depois. No começo achava que devia ser a tristeza com relação à condição de seu quarto o que o atrapalhava para comer, mas em muito pouco tempo ele se conciliou com as alterações do quarto. As pessoas foram se acostumando a estocar no quarto coisas que não podiam colocar em outro lugar, e a essa altura havia muito dessas coisas, agora que tinham alugado um cômodo do apartamento para três inquilinos. Esses solenes cavalheiros (todos os três de barba cheia, como Gregor descobrira através de uma fenda na porta) eram meticulosamente dedicados à arrumação, não somente em seu quarto, mas (visto que tinham alugado um quarto ali) na casa toda, e principalmente na cozinha. Simplesmente não toleravam nada de inútil ou má qualidade. Aliás, na maior parte, tinham trazido consigo os próprios móveis. Por isso, muitos itens passaram a ser supérfluos, e não se tratava de coisas que se vendem ou coisas que as pessoas querem jogar fora. Todos esses itens iam parar no quarto de Gregor, até o baú de cinzas e a lata de lixo da cozinha. A faxineira, sempre com pressa, apenas lançava tudo que se tornava momentaneamente inútil lá dentro. Felizmente, Gregor em geral via somente o objeto em questão e a mão que o segurava. A faxineira talvez pretendesse, quando tempo e oportunidade permitissem, tirar essas coisas dali ou jogar tudo fora de uma vez, mas na verdade permanecia tudo largado ali, onde quer que tivesse pousado no primeiro arremesso, a não ser que Gregor abrisse caminho por entre o acúmulo de tralhas e as movesse. No começo ele foi forçado a fazer isso, porque do contrário não havia espaço para rastejar, mas logo passou a fazê-lo com crescente satisfação, embora, após certos movimentos, morto de cansaço e sentindo-se miserável, ficasse quieto por horas.

Como os inquilinos às vezes também jantavam em casa, na sala de estar, a porta passava várias noites fechada. Mas Gregor não se importava nem um pouco de não ver a porta aberta. Em diversas noites, quando ficava aberta, ele já não se beneficiava disso; sem que a família notasse, ficava esticado no canto mais escuro do quarto. Contudo, certo dia a faxineira deixou a porta da sala de estar entreaberta, e assim ficou até que os inquilinos chegaram, à noite, e as luzes foram acesas. Sentaram-se na ponta da mesa, onde mais antigamente a mãe, o pai e Gregor comiam, abriram seus guardanapos e pegaram facas e garfos. A mãe imediatamente apareceu na porta com um prato de carne, e logo atrás dela a irmã, com um prato com uma pilha alta de batatas. A comida exalava muito vapor. Os senhores inquilinos inclinaram-se sobre o prato posto, como se o quisessem checar antes de comer, e de fato o que estava sentado no meio (pois sobre os outros dois ele parecia exercer autoridade) cortou um pedaço de carne ali mesmo, sem dúvida para determinar se estava suficientemente macia ou se algo devia ser enviado de volta à cozinha. O homem ficou satisfeito, e mãe e irmã, que olhavam, apreensivas, voltaram a respirar naturalmente e a sorrir.

A família comia na cozinha. Apesar disso, antes de ir até lá, o pai entrava na sala e, com uma única reverência, de quepe na mão, dava uma volta ao redor da mesa. Os inquilinos levantavam-se ao mesmo tempo e murmuravam algo sob as barbas. Depois, quando ficavam sozinhos, comiam quase em completo silêncio. Era estranho para Gregor que, de todos os muitos tipos de sons feitos ao comer, aquele sempre audível eram os dentes a mastigar, como se com isso quisessem mostrar-lhe que as pessoas precisavam dos dentes para comer e que nada podia ser feito nem com o mais belo maxilar desdentado.

– Eu tenho fome sim – Gregor disse para si com tristeza –, mas não dessas coisas. Como esses inquilinos se entopem de comer, e eu aqui morrendo.

Nessa mesma noite (Gregor não se lembrava de ter ouvido o violino durante todo esse período), veio o som da cozinha. Os inquilinos já tinham terminado o jantar, o do meio sacara um jornal e dera a cada um dos outros dois uma página, e estavam recostados, lendo e fumando. Quando o violino começou a tocar, eles pararam para ouvir, levantaram-se e foram nas pontas dos pés até a porta do *hall*, onde ficaram, apertados uns nos outros. Deviam ter sido ouvidos da cozinha, porque o pai disse:

– Talvez os cavalheiros não apreciem a música... Ela pode parar agora mesmo.

– Pelo contrário – afirmou o inquilino do meio –, a jovem não gostaria de vir até nós e tocar aqui na sala, onde é muito mais confortável e alegre?

– Oh, obrigado – exclamou o pai, como se fosse ele a tocar o violino.

Os homens retornaram à sala e ficaram aguardando. Logo veio o pai com o suporte, a mãe com a partitura e a irmã com o violino. Calmamente, a moça preparou tudo para o recital. Os pais, que jamais haviam alugado um quarto e, portanto, exageravam na polidez para com os inquilinos, não ousaram sentar-se nas próprias cadeiras. O pai encostou na porta, com a mão direita metida entre dois botões do uniforme abotoado. A mãe, porém, aceitou a cadeira oferecida por um dos inquilinos. Visto que a deixou onde o cavalheiro a depositara, sentou-se de lado, num dos cantos.

A irmã começou a tocar. O pai e a mãe acompanhavam com muita atenção, cada um de um lado, os movimentos das mãos dela. Atraído pela música, Gregor aventurara-se a avançar um pouco mais adiante, e sua cabeça já estava na sala de estar. Raramente ele pensava sobre o fato de que andara tendo tão pouca consideração pelos outros; anteriormente, essa consideração fora algo de que se orgulhava. E por essa razão ele teria tido, nesse momento, mais motivo para se esconder, porque, como resultado da poeira que cobria todo o seu quarto e voava por ali com o menor dos movimentos, estava todo coberto de sujeira. Nas costas e nas laterais do corpo carregava consigo poeira, fios, cabelo e restos de comida. Sua indiferença para com tudo era grandiosa demais para que se deitasse de costas e se esfregasse no carpete, como costumara fazer antes, durante o dia. Apesar de suas condições, não teve timidez alguma de avançar um pouquinho mais sobre o piso impecável da sala de estar.

Em todo caso, ninguém prestava atenção nele. A família estava toda envolvida com o violino. Os inquilinos, ao contrário, que foram colocar-se, com as mãos nos bolsos das calças, detrás do suporte, perto demais da irmã, para que pudessem todos ver a partitura, o que devia ter certamente incomodado a moça, logo recuaram para a janela, conversando em vozes e cabeças baixas, onde então permaneceram, observados com preocupação pelo pai. Parecia bastante óbvio que, tendo suposto que estavam para ouvir um belo ou divertido recital de violino, desapontaram-se e permitiam que sua tranquilidade fosse perturbada apenas por educação. O modo com que todos expeliam a fumaça dos charutos pelos narizes e bocas, em particular, faria qualquer um concluir que estavam muito irritados.

E, no entanto, a irmã tocava tão lindamente. Com o rosto virado de lado, o olhar acompanhava a partitura com atenção e tristeza. Gregor rastejou um pouco mais adiante e manteve a cabeça perto do piso para captar o olhar da menina, se possível. Seria ele um animal para que a música o dominasse tanto assim? Para ele, era como se o caminho para o nutriente desconhecido pelo qual ele ansiava se lhe estivesse revelando. Estava determinado a avançar até a irmã, puxar-lhe a barra do vestido e indicar-lhe desse modo que ela podia vir com o violino ao quarto dele, porque ali ninguém valorizava o recital tanto quanto ele o fazia. Não ia querer deixar que ela saísse do quarto dele nunca mais, pelo menos não enquanto vivesse. Sua aparência assustadora seria, pela primeira vez, útil para ele. Quis estar em todas as portas da sala simultaneamente e rosnar para os atacantes. Contudo, a irmã não seria obrigada, mas ficaria com ele se quisesse; sentar-se-ia junto dele no sofá, baixaria o ouvido para ele, e, então, Gregor lhe confessaria que pretendia sem hesitação enviá-la ao conservatório e que, se esse infortúnio não tivesse ocorrido nesse ínterim, ele teria declarado tudo isso no Natal anterior (o Natal já tinha mesmo passado?) e não teria tolerado objeções. Após essa explanação, a irmã desataria a chorar de emoção, e Gregor se ergueria até o ombro dela para beijar-lhe o pescoço, que ela, desde quando começara a trabalhar, deixara exposto sem faixa nem colar.

— Sr. Samsa — disse o inquilino do meio ao pai, e apontou o dedo indicador, sem dizer mais palavra, para Gregor, que vinha avançando lentamente.

O violino silenciou. O inquilino do meio sorriu, sacudiu o rosto para os amigos e olhou para Gregor mais uma vez. Em vez de incitar Gregor a voltar, o pai pareceu considerar de maior importância acalmar os inquilinos, embora estes não estivessem nem um pouco incomodados, e Gregor parecesse entretê-los muito mais do que o recital de violino. O pai correu até eles e, com os braços estendidos, tentou empurrá-los para o quarto, simultaneamente bloqueando a visão de Gregor com o próprio corpo. Os cavalheiros irritaram-se, embora não se soubesse se por causa do comportamento do pai ou por causa da informação que acabavam de adquirir, que tinham, sem saber, um vizinho como Gregor. Demandaram explicações do pai, erguendo os braços para se fazerem compreender, cutucando agitados as barbas, e foram voltando ao quarto bem lentamente. Entrementes, o isolamento que subitamente caíra sobre a moça após a repentina interrupção do recital a sobrepujara. Ela mantivera violino e arco nas mãos imóveis por um instante e continuara olhando para a partitura, como se ainda estivesse tocando. De repente, recompôs-se, colocou o instrumento no colo da mãe (que continuava sentada na cadeira, com dificuldade de respirar, com os pulmões trabalhando arduamente) e correu para o outro cômodo, do qual os inquilinos, pressionados pelo pai, já se aproximavam mais rapidamente. Foi possível observar como, sob as mãos treinadas da irmã, lençóis e travesseiros nas camas foram jogados e arranjados. Antes mesmo que os inquilinos alcançassem o quarto, ela já terminara de arrumar as camas e saía de fininho. O pai parecia tão dominado mais uma vez pela teimosia que se esquecera do respeito que sempre devia aos locatários. Ele forçou mais e mais, até que, em frente à porta do quarto, o cavalheiro do meio bateu o pé ruidosamente e assim fez o pai parar.

– Eu declaro, agora – disse o inquilino, erguendo a mão e olhando de relance para a mãe e a irmã –, que, considerando as condições vergonhosas que prevalecem neste apartamento e nesta família – com isso ele definitivamente cuspiu no chão –, eu cancelo meu aluguel imediatamente. É claro que não pagarei nada pelos dias em que morei aqui; pelo contrário, pensarei se vou ou não iniciar algum tipo de ação contra vocês, algo que, acreditem em mim, será muito fácil de estabelecer.

Ele ficou em silêncio, olhando diretamente à frente, como se esperasse por alguma coisa. De fato, os dois amigos imediatamente acrescentaram suas opiniões:

— Também cancelamos imediatamente.

Ao ouvir isso, ele tomou a maçaneta, bateu a porta e a trancou.

O pai foi tateando, cambaleando até sua cadeira e deixou-se nela cair. Era quase como se estivesse se espreguiçando para a soneca noturna de sempre, mas o pender pesado de sua cabeça (que parecia não ter suporte) mostrava que ele não dormia. Gregor ficara deitado, imóvel, o tempo todo no ponto onde os inquilinos o flagraram. O desapontamento com o colapso de seu plano e talvez também sua fraqueza, advinda da severa fome que passava, tornavam impossível para ele se mover. Estava com muito medo de que um desastre geral desabasse sobre ele a qualquer momento, e esperou. Nem se assustou quando o violino caiu do colo da mãe, de sob seus dedos trêmulos, e soltou uma nota reverberante.

— Meus queridos pais – disse a irmã, batendo a mão na mesa como se para introduzir-se –, as coisas não podem continuar assim. Se vocês não conseguem entender, eu entendo. Não ousarei falar o nome do meu irmão na frente desse monstro, portanto digo apenas que devemos tentar nos livrar dele. Tentamos o humanamente possível para cuidar dele e ser pacientes. Acredito que ninguém poderia nos criticar, nem um pouco.

— Ela tem razão, em todos os sentidos – o pai disse consigo.

A mãe, ainda incapaz de respirar adequadamente, começou a tossir, entorpecida, com a mão cobrindo a boca e uma expressão maníaca no olhar.

A irmã correu para a mãe e segurou-lhe o rosto. As palavras da moça pareciam ter levado o pai a certas reflexões. Ele se endireitou na cadeira, brincou com o quepe do uniforme entre os pratos, ainda sobre a mesa, após o jantar dos inquilinos, e olhou uma ou outra vez para um imóvel Gregor.

– Temos que tentar nos livrar dele – disse a irmã, decisivamente, agora, ao pai, pois a mãe, em seu acesso de tosse, não escutava nada –; está matando vocês dois. Prevejo o pior. Quando as pessoas têm que trabalhar tão duro quanto nós, não aguentam também tolerar esse tormento sem fim em casa. Eu não aguento mais.

A moça desatou em tamanho acesso de choro que as lágrimas fluíram até pingar no rosto da mãe. Ela as limpou da mãe com gestos de mão mecânicos.

– Filha – disse o pai, complacente, e com óbvia apreciação –, o que devemos fazer então?

A irmã apenas deu de ombros, como sinal da perplexidade que, em contraste com sua confiança anterior, a dominara quando começara a chorar.

– Se ao menos ele nos entendesse – disse o pai num tom quase questionador.

A irmã, em meio aos soluços, sacudiu a mão energicamente, como se indicasse que não havia por que pensar nisso.

– Se ao menos ele nos entendesse – repetiu o pai, e, ao fechar os olhos, absorveu a convicção da irmã da impossibilidade dessa ideia –, então quem sabe seria possível fazer um acordo com ele. Mas desse jeito...

– Temos que nos livrar dele – exclamou a irmã. – É o único jeito, pai. Você tem que tentar se livrar da ideia de que isso é o Gregor. O fato de que acreditamos nisso por tanto tempo, esse é nosso verdadeiro infortúnio. Mas como pode ser o Gregor? Se fosse o Gregor, ele teria muito antes percebido que uma vida normal entre seres humanos não é possível com um bicho desses e teria ido embora voluntariamente. Então não teríamos mais um irmão, mas poderíamos continuar vivendo e honrar a memória dele. Mas esse animal nos prejudica. Afugenta os inquilinos, obviamente tomará conta do apartamento todo e nos deixará para passar a noite na rua. Olhe, pai – ela exclamou de súbito –, ele começou a se levantar de novo.

Com um temor totalmente incompreensível para Gregor, a irmã até largou a mãe, afastou-se da cadeira, como se preferisse sacrificar a mãe a permanecer perto dele, e correu para trás do pai, que, ligeiramente agitado pelo comportamento da filha, também se levantou e ergueu um pouco os braços em frente à moça, como se para protegê-la.

Mas Gregor não tinha intenção alguma de criar problemas para ninguém, e certamente não para a irmã. Começara a virar-se no intuito de rastejar de volta ao quarto, visão esta bastante alarmante, dado que, como resultado de sua condição de sofrimento, tinha de guiar-se com a dificuldade de virar junto a cabeça, nesse processo levantando-a e batendo-a contra o piso diversas vezes. Ele parou e olhou ao redor. Suas boas intenções pareciam ter sido reconhecidas. O medo durara apenas um momento. Olhavam-no, calados e entristecidos. A mãe afundara na cadeira, com as pernas esticadas e unidas; os olhos estavam quase fechados de tanto cansaço. O pai e a irmã sentaram-se um ao lado do outro. A irmã pousou as mãos em torno do pescoço do pai. "Agora quem sabe eu consiga me virar", pensou Gregor, e retomou a tarefa. Ele não conseguia evitar ofegar com tanto esforço e teve de parar para descansar algumas vezes.

Além disso, ninguém o apressava. Tudo restava somente a ele, por conta própria. Quando completou a volta, começou imediatamente a andar adiante. Ficou aturdido com a enorme distância que o separava do quarto e não entendeu como, com tanta fraqueza, cobrira o mesmo espaço em pouco tempo antes, quase sem notar. Focado apenas em rastejar rapidamente, mal prestava atenção ao fato de que nenhuma palavra ou exclamação da família o interrompia.

Somente quando já estava na porta virou a cabeça, não completamente, porque sentiu o pescoço enrijecer. De qualquer modo, viu que atrás dele nada mudara. Apenas a irmã se levantava. Seu último olhar foi para a mãe, que dormia profundamente. Mal entrara no quarto quando a porta foi fechada muito rapidamente, trancada e barricada. Gregor assustou-se com a súbita comoção atrás de si, tanto que suas perninhas dobraram sob seu peso. Aquela pressa toda fora da irmã. Levantara-se, aguardara e avançara agilmente. Gregor não escutara nada da aproximação dela. A irmã exclamou "Finalmente!" para os pais, ao virar a chave na fechadura.

"E agora?", Gregor perguntou-se, olhando ao redor, no escuro. Logo descobriu que não podia mais se mover. Não ficou surpreso com isso. Pelo contrário, considerava anormal ter sido capaz, até esse ponto, de andar com aquelas perninhas finas. Além disso, sentia relativa alegria. Verdade que sentia dores pelo corpo todo, mas parecia-lhe que estavam gradualmente ficando mais e mais fracas e por fim iriam embora de vez. A maçã apodrecida nas costas e a área inflamada circundante, inteiramente cobertas de poeira branca, ele mal as notava. Lembrava-se da família com afeto e amor profundos. Nesse sentido, sua própria convicção de que tinha de desaparecer tornara-se, se é que era possível, ainda mais decisiva que a da irmã. Ele permaneceu nesse estado de reflexão vazia e pacífica até que o relógio da torre soou as três da madrugada. Da janela, testemunhou o começo do amanhecer lá fora. Então, sem que ele quisesse, sua cabeça afundou até o chão e de suas narinas fluiu fraquinho o seu último sopro.

De manhã cedo veio a faxineira. Com muita energia e pressa, ela batia todas as portas (exatamente do jeito que as pessoas já lhe tinham pedido que evitasse), de modo que, assim que chegava, um sono tranquilo não era mais possível em canto nenhum do apartamento. Em sua breve visita de costume a Gregor, inicialmente não encontrou nada de especial. Julgou que ele jazia ali tão imóvel na intenção de bancar a parte ofendida. Deu-lhe crédito por um entendimento assim tão completo, dentro do possível. Por acaso tinha em mãos uma vassoura comprida e tentou com ela roçar Gregor de onde estava, na porta. Quando isso não surtiu muito efeito, ficou irritada e cutucou-o de leve e, somente quando o tirou do lugar sem sofrer resistência, ficou alarmada. Logo lhe veio a compreensão do verdadeiro estado das coisas; ela escancarou os olhos, soltou um assovio, mas não se conteve por muito tempo. Abriu a porta do quarto e gritou a plenos pulmões para o escuro:

— Venham ver. Ele bateu as botas. Está deitado ali, apagado!

O casal Samsa sentou-se na cama e teve de superar o susto que lhes dera a faxineira para então conseguir assimilar a mensagem. Ambos saltaram rapidamente da cama, cada um de um lado. O Sr. Samsa jogou a colcha por cima dos ombros, a Sra. Samsa veio apenas de camisola, e desse jeito entraram no quarto de Gregor. Entrementes, a porta da sala de estar (onde Grete dormia desde a chegada dos inquilinos na residência) também fora aberta. A moça estava totalmente vestida, como se nem tivesse dormido; o rosto lívido também parecia sugerir isso.

— Morto? – perguntou a Sra. Samsa, fitando a faxineira, embora pudesse checar tudo por conta própria e até entender sem checar nada.

— Acredito que sim – respondeu a faxineira, e, para provar, empurrou o corpo de Gregor com a vassoura a uma distância considerável à frente.

A Sra. Samsa fez menção de querer segurar a vassoura, mas não o fez.

— Bom – disse o Sr. Samsa –, agora podemos dar graças a Deus.

Ele fez o sinal da cruz e as três mulheres seguiram o exemplo.

Grete, que não tirava os olhos do corpo, disse:

– Olha como estava magro. Não comia nada fazia muito tempo. As refeições que entravam aqui saíam do mesmo jeito.

De fato, o corpo de Gregor estava totalmente achatado e seco. Isso ficou aparente pela primeira vez, agora que ele não estava mais erguido nas perninhas e, ademais, agora que nada mais distraía o olhar das pessoas.

– Grete, vem aqui com a gente um minuto – disse a Sra. Samsa com um sorriso melancólico, e Grete foi, não sem olhar de novo para o corpo, junto dos pais, no quarto.

A faxineira fechou a porta e abriu bem a janela. Apesar de ser muito cedo, o ar fresco estava parcialmente tingido de calor. Já chegavam ao final de março.

Os três inquilinos saíram do quarto e procuraram o café da manhã, abobalhados por terem sido esquecidos.

– Onde está o café? – perguntou o cavalheiro do meio, mal-humorado, para a faxineira.

Contudo, ela apenas levou o dedo aos lábios e rápida e silenciosamente indicou aos inquilinos que podiam entrar no quarto de Gregor. Eles entraram e pararam ao redor do corpo, com as mãos nos bolsos das jaquetas envelhecidas, no quarto, que já estava bem mais claro.

Então a porta do quarto abriu-se e o Sr. Samsa apareceu de uniforme, com a esposa num dos braços e a filha no outro. Estavam todos meio chorosos. Vez por outra Grete apertava o rosto contra o braço do pai.

– Saiam imediatamente do meu apartamento – disse o Sr. Samsa, e abriu a porta, sem soltar-se das mulheres.

– Como assim? – questionou o inquilino do meio, um tanto consternado e com um sorriso afetado. Os outros dois mantinham as mãos atrás das costas, constantemente esfregando uma na outra, como em alegre antecipação de uma grande disputa que acabaria a favor deles.

– Foi exatamente isso que eu disse – respondeu o Sr. Samsa e avançou diretamente, com as duas mulheres, para o inquilino.

Este, inicialmente, ficou ali imóvel, olhando para o chão, como se a situação se rearranjasse de novo modo dentro da cabeça dele.

– Tudo bem, vamos embora – disse, e olhou para o Sr. Samsa como se, subitamente dominado pela humildade, pedisse permissão para cumprir a decisão.

O Sr. Samsa assentiu com a cabeça repetidas vezes, com os olhos escancarados.

Em seguida, o inquilino saiu decidido, com longas passadas, para o *hall*. Seus dois amigos tinham ouvido tudo com as mãos muito inertes e agora saíam apressados atrás do outro, como se receando que o Sr. Samsa pudesse aparecer no *hall* antes deles e perturbar sua reunião com o líder. No *hall*, os três tiraram seus chapéus do cabideiro, suas bengalas do suporte, curvaram-se em silêncio e deixaram o apartamento. Num gesto que, no fim das contas, não passara de totalmente infundada desconfiança, o Sr. Samsa saiu com as duas mulheres para o corredor, inclinou-se no corrimão e olhou lá para baixo, vendo os três inquilinos lenta, porém firmemente descendo a comprida escadaria, sumindo em cada andar em certa passagem da escadaria para aparecer de novo segundos depois. Quanto mais desciam, mais a família Samsa perdia interesse por eles e, quando um açougueiro com uma bandeja na cabeça veio até eles e depois, com pose orgulhosa, subiu as escadas bem acima deles, o Sr. Samsa, com as mulheres, soltou o corrimão e todos retornaram, como se aliviados, para o apartamento.

Resolveram passar o dia descansando e foram dar uma volta. Não somente mereciam uma folga do trabalho como não havia dúvida de que estavam precisando. Então se sentaram à mesa e escreveram três cartas de desculpas: o Sr. Samsa para seu supervisor, a Sra. Samsa para a cliente e Grete para o dono da loja. Enquanto escreviam, a faxineira veio dizer que estava de saída, pois terminara o trabalho da manhã. As três pessoas, escrevendo, primeiro apenas assentiram, sem olhar para ela. Somente ao verem que a faxineira não resolvia ir embora, olharam irritados.

— Então? — perguntou o Sr. Samsa.

A faxineira ficou à porta, sorrindo, como se tivesse um grande golpe de sorte para relatar à família, mas somente o faria se lhe perguntassem diretamente. A quase ereta pluma de avestruz do chapéu dela, que irritara o Sr. Samsa durante todo o tempo em que ela os servira, balançava de leve em todas as direções.

— Muito bem, o que você quer? — perguntou o Sr. Samsa, a quem a faxineira ainda costumava respeitar.

— Bem — respondeu a faxineira (sorrindo com tanta alegria que não pôde continuar falando de imediato) —, quanto a jogar fora aquela sujeira do quarto, não precisam se preocupar. Cuidei de tudo.

A Sra. Samsa e Grete inclinaram-se para suas cartas, como se quisessem continuar escrevendo; o Sr. Samsa, que reparou que a faxineira queria começar a descrever tudo em detalhe, impediu-a decisivamente com a mão estendida. Visto que não lhe permitiriam explicar, ela se lembrou de que estava com muita pressa e disse, obviamente insultada:

— Até logo.

Deu meia-volta, furiosa, e deixou o apartamento batendo ferozmente a porta.

— Hoje à noite ela será demitida — disse o Sr. Samsa, mas não recebeu resposta nem da esposa, nem da filha, pois a faxineira acabara de perturbar a tranquilidade que tinham acabado de obter.

Levantaram-se, foram à janela e ficaram ali, com os braços unidos. O Sr. Samsa virou-se na cadeira, na direção delas, e as ficou observando, em silêncio, por um tempo. Depois disse:

– Bom, venham aqui. Vamos nos livrar das coisas velhas. E tenham um pouco de consideração por mim.

As mulheres lhe obedeceram de imediato. Foram até ele, acariciaram-no e rapidamente terminaram suas cartas.

Depois todos os três deixaram juntos o apartamento, algo que não faziam havia meses, e pegaram o bonde a céu aberto, para fora da cidade. O vagão em que estavam sozinhos foi totalmente engolfado por um sol quente. Conversavam, recostados confortavelmente nos assentos, sobre as perspectivas futuras e descobriram, observando com mais atenção, que estas não eram nada más, pois os três tinham empregos, sobre os quais não se questionavam, que eram extremamente favoráveis e tinham perspectivas muito promissoras. A maior melhoria em sua situação, no momento, é claro, teria de vir de uma mudança de residência. Queriam alugar um apartamento menor e mais barato, mas de melhor localização e mais prático do que o atual, encontrado por Gregor. Enquanto se entretinham desse jeito, ocorreu ao Sr. e à Sra. Samsa, quase ao mesmo tempo, como a filha, que estava ficando cada vez mais animada, tinha desabrochado recentemente, apesar de todos os problemas que lhe deixavam as bochechas pálidas, e se transformado numa linda e voluptuosa jovem. Mais calados e quase inconscientemente entendendo um ao outro nos olhares, julgaram que chegara a hora de procurar um homem honesto para ela. E quando, no fim da jornada, a filha levantou-se primeiro e espreguiçou seu corpo juvenil, foi quase uma confirmação de seus novos sonhos e boas intenções.

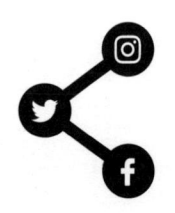

fonte
quadraat

@novoseculo
nas redes sociais

gruponovoseculo.com.br